# Poznawanie siebie w świetle słowa Bożego

Krzysztof Wons SDS

# Poznawanie siebie w świetle słowa Bożego

Wydawnictwo SALWATOR
Kraków

*Redakcja*
Zofia Smęda

*Redakcja techniczna*
*i przygotowanie do druku*
Anna Olek

*Projekt okładki*
Artur Falkowski

*Imprimi potest*
ks. dr Bogdan Giemza SDS, prowincjał
l.dz. 574/P/2000
Kraków, dnia 15 listopada 2000



Wydanie czwarte poprawione 2010

ISBN 978-83-7580-175-0

Wydawnictwo SALWATOR
ul. św. Jacka 16, 30-364 Kraków
tel. (12) 260 60 80, faks (12) 269 17 32
e-mail: wydawnictwo@salwator.com
www.salwator.com

*Moim współpracownikom*
*i uczestnikom spotkań*
*w Centrum Formacji Duchowej*

# Wprowadzenie

Poznanie siebie staje się od momentu naszego zaistnienia jednym z fundamentalnych zadań. Zwróćmy uwagę na niektóre jego zależności. Bez poznawania siebie niemożliwe jest wychowanie ani jakiekolwiek rozeznanie duchowe, rozeznanie powołania i dojrzewanie od niego. Bez znajomości siebie nie jesteśmy zdolni do dokonywania życiowych wyborów. Znamienna jest w tym względzie obserwacja opisana w jednym z dokumentów Papieskiego Dzieła Powołań Kościelnych: „Ilu młodych nie przyjęło wezwania powołaniowego nie dlatego, że byli nieszlachetni i obojętni, lecz po prostu dlatego, *że nie udzielono im pomocy w poznaniu samych siebie*, w odkryciu ambiwalentnych i pogańskich korzeni niektórych schematów myślowych i uczuciowych, w wyzwoleniu się ze swoich lęków i działań obronnych, świadomych i nieświadomych wobec samego powołania. Ile dokonało się aborcji powołaniowych z powodu tej pustki wychowawczej”[1].

---

[1] *Nowe powołania dla nowej Europy (In verbo tuo...). Dokument końcowy Kongresu poświęconego powołaniom*

We wprowadzeniu do encykliki *Fides et ratio* Papież przywołał jedną ze starożytnych definicji człowieka: jako tego, który „zna samego siebie". Można więc w naszym stwierdzeniu pójść jeszcze dalej i powiedzieć, że ucieczka od poznawania siebie jest w jakiejś mierze uderzeniem we własne człowieczeństwo, bowiem psychiczny i duchowy rozwój człowieka jest ściśle związany z poznawaniem siebie: „Wychowywać oznacza przede wszystkim spowodować wyjście na jaw rzeczywistości własnego «ja», takiego, jakie ono jest, jeżeli chce się potem doprowadzić do tego, jakim powinno ono być"[2].

Celem naszych rozważań będzie właśnie to zamierzenie: uczyć się poznawania siebie, aby lepiej siebie „widzieć"; aby dojrzewać i wychowywać siebie; aby wreszcie dobrze rozeznać swoje życiowe powołanie i w nim wzrastać. Nie będziemy w tym celu analizować ludzkiej psychiki. Ludzka wiedza, nauka, zwłaszcza psychologia, jest cennym narzędziem w poznawaniu siebie i bezsprzecznie należy z niej korzystać. Niemniej jednak jest narzędziem tylko częściowo pomocnym i tylko częściowo skutecznym. Sama psychologia nie jest w stanie pomóc człowiekowi w integralnym samopoznaniu, nie jest w stanie dotrzeć do najgłębszej sfery ludzkiego „ja". Jest bowiem jedynie ludzkim działaniem,

---

*do Kapłaństwa i Życia Konsekrowanego w Europie. Rzym, 5-10 maja 1997*, Watykan 1997, nr 35a.

[2] Tamże.

a więc ludzkim sposobem patrzenia na człowieka i poznawania jego osoby. To światło jest ważne, ale niewystarczające.

Istnieje takie źródło poznawania siebie, które wykorzystując ludzkie zdolności, umożliwia człowiekowi dotarcie do najgłębszego obrazu siebie. Jest to boska droga poznania. Jest to poznawanie siebie „oczami" Boga, *przez słowo Boga*. Wymaga ono od człowieka otwarcia umysłu, lecz nade wszystko wiary i pokory. Bez tych dwóch cnót niemożliwe jest otwarcie się na słowo Boga, które mówi *do nas* i *o nas*. Bóg zostawił nam Pismo Święte nie tylko po to, aby objawić siebie, ale także, aby objawić nam nas samych – to, kim jesteśmy w Jego oczach jako osoby stworzone na Jego obraz i podobieństwo. Prawda, że jesteśmy stworzeni na obraz i podobieństwo Boga, dotyczy każdego z nas. A to oznacza, że każdy z nas w medytacji Bożego słowa, a zwłaszcza w kontemplacji Jezusa Chrystusa, Słowa Wcielonego, może odnaleźć drogę do poznania siebie. Może odnaleźć prawdę o sobie samym, a w konsekwencji swoje prawdziwe życie. Nasze prawdziwe życie odkrywamy, poznając Boga i Tego, którego On posłał, Jezusa Chrystusa (por. J 17, 3). To właśnie słowo Boże uczy nas patrzeć na siebie oczami Boga. Kiedy zaczynamy słuchać Jego słowa, czujemy, jak powoli doświadczamy wzrostu naszej wartości: „Ponieważ drogi jesteś w moich oczach, nabrałeś wartości i ja cię miłuję" (Iz 43, 4). Przez modlitwę słowem Bożym wracamy do źródeł swojego rzeczywistego piękna, do najczystszego obrazu swojego „ja”. W „twarzy” Boga odkrywamy naszą twarz. Ważne jest, aby na tej drodze nie zabrakło nam towarzysza – kierownika duchowego.

Rozważania zaproponowane w książce są owocem drugiej sesji w Szkole Modlitwy Słowem Bożym: „Poznawanie siebie w świetle słowa Bożego”, prowadzonej w Centrum Formacji Duchowej Salwatorianów w Krakowie. Są owocem nie tylko konferencji przygotowanych „przy biurku”, ale także duchowych poszukiwań i doświadczeń przeżywanych z uczestnikami na wspólnym słuchaniu słowa Bożego i osobistej modlitwie w klimacie pustyni. Dzieląc się niniejszymi rozważaniami, pragnę w ten sposób wyrazić wdzięczność za każde duchowe doświadczenie otrzymane od uczestników Szkoły Modlitwy Słowem Bożym, o które staje się bogatsze nasze Centrum.

*Autor*

*Lampą Pańską*
*jest duch człowieka,*
*on głębię wnętrza przenika*
(Prz 20, 27)

Ważny punkt wyjścia

# POWOŁANI DO POZNAWANIA SIEBIE

# ZDOLNOŚĆ DO POZNAWANIA SIEBIE

Naszą drogę do poznawania siebie w świetle słowa Bożego rozpoczniemy od powrotu do korzeni naszego zaistnienia. Odnajdujemy je na pierwszych stronach Biblii, w Księdze Rodzaju, w dwóch opisach stworzenia człowieka (Rdz 1–2). Te fragmenty należy czytać i rozważać jako opisy naszej osobistej historii zaistnienia, jako opisy naszego powołania i początku naszego życia.

Każdy z dwóch opisów zwraca uwagę na inne, równie ważne, momenty naszego zaistnienia. Zatrzymamy się na drugim fragmencie, ponieważ ma on istotne znaczenie dla naszej refleksji nad poznawaniem siebie w świetle słowa Bożego. Uważam, że powinien on być punktem wyjścia w naszych rozważaniach. W pewnym sensie jest tekstem podstawowym, pozwalającym zrozumieć drogę, którą rozpoczynamy.

Otóż w drugim opisie naszego stworzenia (tekst bowiem nie mówi o stworzeniu jakiegokolwiek człowieka, ale o każdym człowieku – mówi o mnie, o moim powstaniu!) widzimy Boga, który pochyla się nad człowiekiem, którego dopiero co ukształtował własnymi rękami i w którego nozdrza tchnął życie (por. Rdz 2, 7). To Boże tchnienie, które mnie ożywiło, zawiera w sobie niezwykłą tajemnicę. Może nam ją przybliżyć jedynie oryginalne tłumaczenie tekstu. „Tchnienie życia", którym napełnił nas Bóg, jest czymś zupełnie innym od „ducha życia", którego otrzymały od Stwórcy wszystkie inne istoty żyjące. „Duch życia" to życiowa energia. Natomiast „tchnienie życia", które nosimy w sobie, to coś znacznie więcej. Jest to *nišemat hajjîm*, które posiada tylko Bóg i które człowiek osobiście od Boga otrzymuje. Czym jest *nišemat hajjîm* – tchnienie życia, które otrzymaliśmy od Boga, a które nosimy w sobie? Jest to świadomość siebie i zdolność poznania samego siebie i możliwość kierowania sobą. Jest to twórcza wolność, dar spojrzenia w swoje wnętrze i dar intuicji[3]. Tchnienie życia jest jak Lampa Pańska, która przenika i rozświetla nasze wnętrze (por. Prz 20, 27). Jest to więc nie tylko tchnienie życia, dzięki któremu mogę oddychać i żyć, ale przede wszystkim zdolność osądzania i rozeznawania ludzkiego wnętrza. Ta zdolność pochodzi od Boga i tylko z Nim człowiek jest zdolny poznawać siebie. Poza Nim nasze poznawanie siebie staje się martwe. Staje się niemożliwe, ponieważ zostaliśmy stworzeni na Jego obraz i podobieństwo, i bez Niego nie jesteśmy zdolni poznać siebie.

---

[3] Por. G. Ravasi, *Księga Rodzaju (1-11)*, Kraków 1997, s. 52-53.

W tym momencie warto odwołać się do Ewagriusza z Pontu, greckiego mnicha z IV wieku, który tłumaczy nam, że „Boże podobieństwo" w nas to nic innego jak umysł (*nus*)[4]. Ten umysł to coś znacznie więcej niż współcześnie rozumiany intelekt. Umysł wyraża naszą osobową relację ze Stwórcą. Kryje w sobie otwartość i wrażliwość na Boga (*capax Dei*). W konsekwencji poznanie, które jest właściwością umysłu, twierdzi Ewagriusz, jest najważniejszym doświadczeniem w relacji między stworzeniem i Stwórcą. Jest to doświadczenie, powtórzmy (!), nie czysto intelektualne, ale dotykające samego „środka" nas samych. Umysł bowiem – jądro naszej osobowości i siedlisko naszych zdolności poznawczych – znajduje się w naszym sercu, w tym symbolicznym „miejscu", w środku człowieka[5]. Teraz rozumiemy, dlaczego Bóg, przemawiając do nas swoim słowem, mówi do serca. To serce – miejsce naszego najgłębszego poznawania – jest najważniejszym organem słuchu. Bóg mówi do naszego serca. W sercu poznajemy Boga i siebie. Jest to poznawanie, które nie tylko „ociera się" o nasz intelekt, ale dotyka naszego wnętrza, staje się doświadczeniem całej naszej osoby: umysłu, serca i woli.

---

[4] Por. G. Bunge, *Ewagriusz z Pontu – mistrz życia duchowego*, Tyniec–Kraków 1998, s. 21-22.

[5] Tamże, s. 28.

## Poznawanie siebie – życiowe napięcie

Między nami a Bogiem przebiega ożywcze tchnienie. Nosimy w sobie cząstkę wewnętrznego życia Bożego i Jego boskiej zdolności poznawania siebie. Co to dla nas oznacza? To, że jesteśmy powołani do życia i do nieustannego poznawania jego głębi. Powołanie do życia jest równoznaczne z powołaniem do poznawania siebie. Na tyle żyjemy, na ile poznajemy siebie. Istota naszego życia, jego wielkości i godności, jest ukryta w nas samych. Poczucie własnej godności, przeżywanie siebie takimi, jacy jesteśmy w oczach Boga, jest sensem i szczęściem naszego życia. Smutek życia i egzystencjalna pustka rodzą się w osobach, które nie odkryły, kim są dla Boga i jaką wartość posiadają w Jego oczach.

Możemy powiedzieć, że taka jest głębia życia, jaka jest głębia poznawania siebie. Odkrycie swojego najgłębszego „ja" jest ostatecznie dostrzeżeniem naszego podobieństwa do Boga, naszego największego piękna, które Bóg w nas wpisał w momencie stworzenia. Jest to piękno, które możemy odkryć. Jest to jednak trudny proces. Dlaczego? Musimy dotrzeć głęboko – do prawdy o sobie, zakłócanej przez doświadczenie grzechu. Odkrywamy w sobie pierwotne piękno, które musimy jednocześnie oczyścić z grzechów, jakie powstają w nas na skutek naszej słabości. Ponieważ rodzimy się z grzechem pierworodnym, odczuwamy na sobie jego skutki. Nieprawdziwy jest nasz obraz siebie, uszkodzona jest także nasza zdolność poznawania siebie. Grzech sprawia, że widzimy siebie jak w krzywym zwierciadle. To zranienie sprawia także, że naszemu poznawaniu siebie towarzyszy nieustanne napięcie: jest ono spowodowane koniecznością ciągłego wyboru między prawdą a kłamstwem; między tym, kim jesteśmy, a tym, kim być powinniśmy; między pragnieniami a rozczarowaniami; między ideałem a rzeczywistością; między arcydziełem, którym mamy być z woli Stwórcy, a kiczem, który nieraz sobą prezentujemy; między nadziejami Boga a naszymi niedomaganiami; między wytrwałą wiernością Boga a naszymi brakami.

## Poznawanie siebie przez słowo Boże

Drogą do odkrycia naszego rzeczywistego piękna i odfałszowania tego, co zostało w nas zakłamane, jest sam Bóg. On jest naszym Stwórcą. On uczynił nas na swój obraz i podobieństwo. Tylko Bóg jest doskonałym Pięknem i Prawdą. Tylko w Nim możemy zobaczyć siebie w całej prawdzie. Tylko dzięki Niemu możemy odkryć siebie takimi, jakich stworzył nas na początku. Bóg jest dla nas ostateczną drogą do poznania siebie. On, który zna nasze pierwotne piękno, który tchnął w nas życie i nieustannie oczyszcza nas z brudu zafałszowań i przypomina o wartości, jaką posiadamy w Jego oczach. To oznacza, że nasze odkrywanie i poznawanie siebie powinno ostatecznie dokonywać się przez kontemplację Boga w Jego słowie. Kontemplując Jego oblicze, poznajemy swoją prawdziwą twarz. Kontemplując Jego miłość, poznajemy siebie jako osoby umiłowane od początku i do końca. Kontemplując Jego świętość, odkrywamy to, co w nas święte i co brudne i nieprawdziwe. Odkrywamy, kim mamy być naprawdę.

Nasze pierwsze spostrzeżenia wyraźnie prowadzą nas do przekonania, że poznawanie samego siebie jest jednym z najważniejszych zadań naszego życia. Jest naszym świętym obowiązkiem. Powinniśmy wiedzieć, kim jesteśmy dla Boga, czyli jakie jest nasze prawdziwe „ja". Jakie „imię" wypowiedział Pan nad nami (por. Jr 14, 9). W pewnym sensie możemy powiedzieć, że nasze życie jest drogą nieustannego poszukiwania własnego „ja". Poszukujemy swojego prawdziwego oblicza, poszukujemy prawdy o swojej wartości. Jeśli jej nie znajdziemy, jeśli nie poznamy siebie, ryzykujemy, że będziemy nieszczęśliwi. Poznanie siebie staje się dla nas życiowym powołaniem.

Człowiek, który z różnych powodów nie zna lub nie chce znać siebie, najczęściej jest smutny, przytłoczony uczuciem niepewności, a nawet lęku i zniechęcenia. Podobny jest do nierozsądnych panien z Ewangelii, które stoją przed zamkniętymi drzwiami. Nie mają dostępu do siebie samych, do swego serca. Nie mogą smakować z Bogiem radości życia i tłumią tęsknotę własnego serca (por. Mt 25,

1-13)[6]. Pozbawiając się drogi do poznawania siebie, możemy pozbawić się drogi do odkrycia swojej wartości i godności.

Tylko ten może prawdziwie kosztować życia i być zdolnym do ofiary, kto zna siebie, zna swoją prawdziwą wartość ukrytą w życiowym powołaniu otrzymanym od Boga. I odwrotnie: nie odkryje sensu życia i jego wartości ten, kto nie odkryje swojej wartości w oczach Boga. Jedno z najważniejszych pytań naszej egzystencji, z którym powinniśmy wzrastać, brzmi: Kim jestem dla Niego? Zgłębianie odpowiedzi na to pytanie może prowadzić nas do najpiękniejszej kontemplacji życia: kontemplacji Boga, który chce być celebrowany także w człowieku. Najmocniej wyraził to w swoim Synu, który stał się człowiekiem, najpiękniejszym z synów ludzkich. W Nim najpełniej odkrywamy nasze piękno. On jest dla nas drogą, prawdą i życiem. Jezus Chrystus stał się Słowem Wcielonym, aby objawić nam nasze piękno i wartość, jaką posiadamy w oczach Ojca od samego początku, od pierwszej chwili naszego zaistnienia. W Jezusie Chrystusie Ojciec, który ukształtował nas swoimi rękami, objawia nam pierwotne piękno naszego człowieczeństwa, przypomina nam o naszej największej godności: że jesteśmy Jego dziećmi. Jezus, aby przywrócić nam nasz pierwotny obraz, daje

---

[6] Por. A. Grün, *Nie bądźmy dla siebie bezwzględni*, Wrocław 1998, s. 58.

nam Dobrą Nowinę o Ojcu i Jego dziecku, które kocha i za którym nie przestaje tęsknić. Decyduje się nawet na to, aby umarł Jego Syn. Dlaczego? Abyśmy, odkupieni, mieli siłę przyjąć i zobaczyć siebie na nowo w swoim pierwotnym pięknie. Jezus, najpiękniejszy z synów ludzkich, umiera za nas, aby uśmiercić nasz grzech, który nie pozwala nam spojrzeć na siebie w prawdzie, który przez skutki pierworodnego grzechu nie pozwala nam zobaczyć naszego „pierworodnego piękna".

Bóg, który kieruje do nas słowo i odsłania obraz naszego najgłębszego „ja", jest najlepszym „pedagogiem" i „psychologiem", przede wszystkim zaś jest najlepszym Ojcem, Przyjacielem i Bratem. Jest to bardzo ważne, ponieważ w poznawaniu siebie liczą się nie tylko kompetencje i umiejętności pedagogiczne czy psychologiczne. Najważniejszym narzędziem w poznawaniu siebie jest miłość. Poznawanie szczere i dogłębne, wolne od lęku możliwe jest tylko w klimacie miłości. Bóg przez swoje słowo pomaga nam odkryć samych siebie. Zawsze czyni to z miłością. Ważne jest nie tylko to, abyśmy dotarli do prawdy o nas samych i poznali nasz prawdziwy obraz, ale dla Boga ważne jest również to, abyśmy ten obraz siebie potrafili zaakceptować w pełnej wolności. Bez doświadczenia miłości jest to niemożliwe. Więcej, jest to nawet niebezpieczne. Prawda podana bez miłości może powalić na ziemię i zmiażdżyć. I odwrotnie: prawda nawet bardzo gorzka i bolesna, jeśli podana jest z miłością, otwiera serce, czyni je ufnym, prostolinijnym i hojnym. Tylko Bóg, który jest doskonałą Miłością, potrafi tak doskonale otwierać człowieka.

To właśnie modlitwa słowem Bożym, która prowadzi do osobistego doświadczenia miłości Boga, otwiera nas i czyni zdolnymi do zejścia do najgłębszych pokładów prawdy o sobie samym. „Żywe bowiem jest słowo Boże, skuteczne i ostrzejsze niż wszelki miecz obosieczny, przenikające aż do rozdzielenia duszy i ducha, stawów i szpiku, zdolne osądzić pragnienia i myśli serca. Nie ma stworzenia, które by było przed Nim niewidzialne, przeciwnie, wszystko odkryte i odsłonięte jest przed oczami Tego, któremu musimy zdać rachunek" (Hbr 4, 12-13). Nawet najbardziej kompetentna pomoc człowieka: towarzyszenie duchowe czy psychologiczna terapia, jest bardziej owocna wtedy, gdy osoba, która szuka pomocy w poznawaniu i zaakceptowaniu siebie, opiera się na modlitwie słowem Bożym. Wszystko zmierzać powinno do tego, aby pomagając komuś w uporządkowaniu życia psychicznego, doprowadzić go do spotkania z Lekarzem, którego słowo potrafi uleczyć każdą najgłębszą ludzką ranę. Takie było na przykład przekonanie mnichów pierwszych wieków, którzy w swoich modlitwach słowem Bożym bardzo często uciekali się do powtarzania wybranych słów z Pisma Świętego. Przyjmowali je z wiarą jak lekarstwo, jak antidotum na choroby ducha.

W naszych rozważaniach, nie pomijając wiedzy antropologicznej i psychologicznej, będziemy próbowali podjąć drogę poznawania siebie w świetle słowa Bożego. Będziemy starali się przez medytację słowa odnajdywać nasz prawdziwy obraz i oczyszczać go z tego, co w nim nieprawdziwe i zafałszowane.

## Potrzeba towarzyszenia duchowego

Nasza droga do poznawania siebie podobna jest do drogi uczniów idących do Emaus. Choć miłowali swego Pana, zagubili się we własnych wyobrażeniach i oczekiwaniach („A myśmy się spodziewali..."; Łk 24, 21). Byli rozczarowani i zajęci własnym bólem z powodu wydarzeń Wielkiego Piątku. W tym delikatnym momencie, gdy ich oczy były niejako na uwięzi (por. Łk 24, 16), potrzebowali obecności Kogoś, kto by wyłożył im Pisma. Potrzebowali pomocy, by odnaleźć światło w słowie, które przecież dobrze znali i wielokrotnie czytali. Skupieni na sobie, nie potrafili usłyszeć słowa i rozpoznać swojej drogi życia. Uciekali z Jerozolimy, z miejsca, gdzie był pusty grób – gdzie było ich Życie. Odnaleźli powrotną drogę dzięki Temu, który wyłożył im Pisma i przygotował na doświadczenie, które otworzyło im oczy, gdy łamali z Nim chleb. Jak uczniowie z Emaus potrzebujemy, aby dołączył do nas Pan i wyjaśniał nam Pisma. Poszukiwanie siebie w świetle słowa Bożego staje się dla nas szczególną drogą życia. Bóg będzie stawiał na niej ludzi, którzy wyjaśniać nam będą Pisma i pomagać swoim doświadczeniem.

Należy mocno podkreślić, że na modlitwie słowem Bożym powinna nam towarzyszyć osoba z duchowym doświadczeniem. Chodzi o to, aby nasze przeżywanie siebie w świetle słowa Bożego nie popadało w subiektywizm, nie stało się błądzeniem po ścieżkach subiektywnych odczuć. Potrzebujemy potwierdzenia, które Duch Święty daje nam w Kościele. Ten sam Duch, który oświeca nas w słowie Bożym, tchnie swoją siłę w Kościele. Daje nam przewodników w sakramencie pokuty, w kierownictwie duchowym, we wspólnocie i w wykładni Pisma. Chodzenie drogami słowa Bożego, poszukiwanie prawdziwego obrazu siebie staje się bezpieczne, gdy towarzyszy mu duchowy kierownik, człowiek Kościoła, w którym żyje i działa Chrystus przez swojego Ducha.

*Pewien człowiek miał dwóch synów...*
(Łk 15, 11)

Pierwszy etap drogi

# Mój obraz siebie. Pierwsze rozpoznanie

## Przypowieść o nas samych

Naszą drogę do poznawania siebie będziemy przeżywali w obecności Jezusa i Jego słowa. Spośród wielu słów, które zostawił nam jako drogę, prawdę i życie, wybierzemy Przypowieść o synu marnotrawnym (Łk 15, 11-32). Ilekroć Jezus opowiada w Ewangelii przypowieści, tylekroć dotyczą one naszego życia. Podobnie jest z tą przypowieścią, która będzie światłem i mądrością na drodze, którą rozpoczynamy. Tak też będziemy ją odczytywali. W naszych rozważaniach i poszukiwaniach nazwiemy ją przypowieścią o dwóch synach i dobrym ojcu, czyli przypowieścią o nas i o Bogu. Wsłuchując się w historię, którą Łukasz zanotował jako jedyny z ewangelistów, będziemy starali się wniknąć także w jej psychologiczną rzeczywistość. Łukasz bowiem rozwinął w niej „cały swój kunszt psychologiczny"[7]. Wszystko zaś po to, aby jak najgłębiej otworzyć się na słowo Boga, który jako jedyny zna nas do końca.

Rozpocznijmy od uważnego przeczytania tekstu. Ważne jest, aby przeczytać go z pełnym zaangażowaniem. Czytajmy ze świadomością, że Jezus

---

[7] Por. C.M. Martini, *Głosić Jezusa. Medytacje nad Ewangelią św. Łukasza*, Kraków 1999, s. 34.

opowiada ją dla mnie i o mnie. Czytajmy z miłością: całym umysłem, sercem i wolą. Podkreślajmy zdania, zakreślajmy słowa, stawiajmy znaki wszędzie tam, gdzie zatrzymuje nas słowo. Przy zaznaczaniu tekstu możemy także użyć różnych kolorów: innego koloru, gdy słowa poruszają mój umysł (powodują silne emocje, olśnienie, zrozumienie); innego, gdy poruszają serce (rozbudzają wewnętrzne doznania, piękne i trudne uczucia); innego wreszcie, gdy pobudzają nasz rozum do podjęcia decyzji, do dokonania wyborów czy do zmiany postaw. Chodzi o to, aby każdy z nas (zanim zaproponuję w moim towarzyszeniu pewne światła i impulsy) przez osobistą lekturę Pisma, został napełniony słowem Jezusa. Moment osobistego spotkania ze słowem u początku naszej drogi jest punktem wyjścia do poznawania siebie w świetle słowa Bożego, które kieruje do nas Jezus.

> Powiedział też: Pewien człowiek miał dwóch synów. Młodszy z nich rzekł do ojca: „Ojcze, daj mi część majątku, która na mnie przypada". Podzielił więc majątek między nich. Niedługo potem młodszy syn, zabrawszy wszystko, odjechał w dalekie strony i tam roztrwonił swój majątek, żyjąc rozrzutnie. A gdy wszystko wydał, nastał ciężki głód w owej krainie i on sam zaczął cierpieć niedostatek. Poszedł i przystał do jednego z obywateli owej krainy, a ten posłał go na swoje pola, żeby pasł świnie. Pragnął on napełnić swój żołądek strąkami, którymi żywiły się świnie, lecz nikt mu ich nie dawał.

Wtedy zastanowił się i rzekł: Iluż to najemników mojego ojca ma pod dostatkiem chleba, a ja tu z głodu ginę. Zabiorę się i pójdę do mego ojca, i powiem mu: Ojcze, zgrzeszyłem przeciw Bogu i względem ciebie; już nie jestem godzien nazywać się twoim synem: uczyń mię choćby jednym z najemników. Wybrał się więc i poszedł do swojego ojca. A gdy był jeszcze daleko, ujrzał go jego ojciec i wzruszył się głęboko; wybiegł naprzeciw niego, rzucił mu się na szyję i ucałował go. A syn rzekł do niego: „Ojcze, zgrzeszyłem przeciw Bogu i względem ciebie, już nie jestem godzien nazywać się twoim synem". Lecz ojciec rzekł do swoich sług: „Przynieście szybko najlepszą szatę i ubierzcie go; dajcie mu też pierścień na rękę i sandały na nogi. Przyprowadźcie utuczone cielę i zabijcie: będziemy ucztować i bawić się, ponieważ ten mój syn był umarły, a znów ożył; zaginął, a odnalazł się". I zaczęli się bawić.
Tymczasem starszy jego syn przebywał na polu. Gdy wracał i był blisko domu, usłyszał muzykę i tańce. Przywołał jednego ze sług i pytał go, co to ma znaczyć. Ten mu rzekł: „Twój brat powrócił, a ojciec twój kazał zabić utuczone cielę, ponieważ odzyskał go zdrowego". Na to rozgniewał się i nie chciał wejść; wtedy ojciec jego wyszedł i tłumaczył mu. Lecz on odpowiedział ojcu: „Oto tyle lat ci służę i nigdy nie przekroczyłem twojego rozkazu; ale mnie nie dałeś nigdy koźlęcia, żebym się zabawił z przyjaciółmi. Skoro jednak wrócił ten syn twój, który roztrwonił twój majątek z nierządnicami, kazałeś zabić dla niego utuczone cielę". Lecz on mu odpowiedział: „Moje dziecko, ty zawsze jesteś przy mnie i wszystko moje do ciebie należy. A trzeba się weselić i cieszyć z tego, że ten brat twój był umarły, a znów ożył, zaginął, a odnalazł się".

(Łk 15, 11-32)

Wchodząc na drogę poszukiwania obrazu siebie, przypatrzmy się, jacy jesteśmy na obecnym etapie naszego życia. Zadajmy sobie pytanie: na ile znam siebie, jaka jest zdolność mojego samopoznania? Jak widzę siebie i jakie wewnętrzne odczucia mi towarzyszą, gdy wnikam w głąb siebie? Jak głęboko jestem w stanie wnikać w siebie? Te pytania niech wprowadzą nas w klimat pierwszego etapu poznawania siebie. Chciejmy z miłością i szczerością przyjrzeć się sobie. Ważne jest, abyśmy byli świadomi tego, w jakim stanie ducha słuchamy słowa Bożego. Powinniśmy także zwrócić uwagę na to, aby aktualne spojrzenie na siebie nie miało charakteru „życzeniowego" – byśmy zaakceptowali ten obraz, który rzeczywiście posiadamy, a nie ten, który życzylibyśmy sobie mieć.

Na obecnym etapie odkrywania siebie proponuję, abyśmy rozpoczęli rozważanie przypowieści Jezusa od porównania dwóch synów: starszego, który zostaje w domu, i młodszego, który z domu odchodzi. Przypatrzmy się im i spróbujmy odnaleźć w nich nasze cechy. Będę zwracał uwagę na pewne szczegóły charakteryzujące ich osobowość i zachowanie. Są to spostrzeżenia wynikające z mojej osobistej lektury. Pozostańmy wobec nich wolni i krytyczni. Korzystajmy z nich na tyle, aby pomogły nam głębiej zrozumieć i zobaczyć rzeczywisty obraz siebie.

Ogólnie mówiąc, bracia reprezentują dwa typy ludzi, które być może w jakimś stopniu są obecne w nas, w naszej osobowości, uczuciach, pragnieniach i postawach. Pamiętajmy, że jest to opowieść o nas i że opowiada ją Jezus – ktoś, kto nas kocha i chce nam pomóc głębiej wniknąć w siebie. Starajmy się patrzeć na siebie tak, jak patrzy Jezus: w prawdzie i z miłością. Starajmy się być wolni od pokusy szybkiego osądzania siebie czy też usprawiedliwiania się. Zatrzymujmy się dłużej nad tym, co nas porusza i oświeca. Dajmy sobie czas na modlitwę, na spojrzenie w głąb siebie, w świetle rozważanego słowa. Popatrzmy na siebie razem z Jezusem. Popatrzmy na siebie Jego oczami.

## Frustracje synów i nasze frustracje

Z opowiadania Jezusa o dwóch synach wynika, że są oni niezadowoleni z życia. Z ich zachowania przebija malkontenctwo. Są pretensjonalni. Innymi słowy, ich samopoczucie nie jest dobre. Z zachowań wobec ojca można wywnioskować, że nie czują się dobrze we własnym domu. W naszym rozważaniu dom to nie tylko budynek, mury, dach nad głową, ale dom to przestrzeń, wnętrze człowieka. Dom jest także symbolem ich wnętrza. Nie czują się dobrze u siebie. Źle im ze sobą! Bardzo często nasze złe samopoczucie kojarzymy jedynie z przyczynami zewnętrznymi. Szukamy na zewnątrz powodów swego niezadowolenia. Często jednak powody naszego niezadowolenia tkwią w nas samych, w naszym wnętrzu, często są nierozpoznane.

Na podstawie zachowania braci można stwierdzić, że są zamknięci w sobie. Nie dzielą się z ojcem tym, co przeżywają, nie wyrażają tego. Pewnego dnia młodszy syn bez słowa wyjaśnienia żąda części majątku, która przypada na niego. Po upływie jakiegoś czasu opuszcza dom bez poinformowania, dokąd odchodzi (Łk 15, 12-13). Wychodzi nie z własnego domu – tak jakby to miejsce było mu obce i jakby jego ojciec był dla niego kimś zupełnie nieznanym. Żądając podzielenia majątku, oddala się także od swego starszego brata.

Postawa starszego brata w pierwszej chwili wydaje się zupełnie odmienna. W przeciwieństwie do swego młodszego brata zostaje w domu, przy ojcu, gorliwie mu służy i nigdy nie sprzeciwia się jego rozkazom (Łk 15, 29). Jednak okazuje się, że i on w pewnym sensie żyje „poza domem". Prawdą jest, że „tyle lat" służył z oddaniem swemu ojcu. Z jego rozmowy z ojcem przeprowadzonej po powrocie młodszego brata wynika jednak, że przez te wszystkie lata narastał w nim skrywany niepokój i niezadowolenie, które oddalały go od domu i ojca. Ojciec był dla niego bardziej pracodawcą niż tatą, a dom miejscem pracy, a nie radosnego i beztroskiego życia. Zdradziło to jego zachowanie po powrocie młodszego brata: „nie chciał wejść" do domu (Łk 15, 28) i wybuchnął gniewem na ojca (Łk 15, 29). Wykrzyczane żale ujawniły, że tłumił w sobie bolesne uczucia. Jego słowa: „Oto tyle lat ci służę" (Łk 15, 29) zdradzają, że nagromadzone pretensje miały już „tyle lat". Tego żalu mogło być bardzo dużo. Prawdopodobnie po raz pierwszy zdobył się na jego wypowiedzenie, gdyż, jak przyznaje, nigdy wcześniej nie przekroczył rozkazu ojca (Łk 15, 29).

Z zachowania obydwu synów możemy wnioskować, że są to ludzie skryci i niewiele mówiący o sobie. Żyją w nieprawdzie nie tylko wobec ojca, ale i wobec siebie. Ich irracjonalne zachowanie w domu pozwala przypuszczać, że wewnętrznie nie radzą sobie ze sobą, że są emocjonalnie niestabilni i niepewni siebie. Zewnętrzne niezadowolenie sygnalizuje ich bolesne uczucia i nieradzenie sobie z nimi. Wewnętrzne zagubienie w gruncie rzeczy jest oznaką nieufności – nie tylko wobec ojca, ale także wobec siebie. Wyrażona zewnętrznie nieufność wobec ojca zdaje się odsłaniać ich nieufność wobec samych siebie. Ich zachowanie nie pozostawia wątpliwości: nie ufają ojcu. Nie wierzą, że są jego ukochanymi dziećmi. Jaki może być tego powód, skoro z całego opowiadania Jezusa wynika, że ojciec jest człowiekiem niezwykle wrażliwym, ciepłym, delikatnym i cierpliwym? Co rodzi w nich tę nieufność? Rzeczywisty powód ich odczuć nie znajduje się w ojcu, lecz w nich samych. Nie dostrzegając dobroci ojca, nie doświadczają, że są jego ukochanymi dziećmi. Nie doświadczają miłości. Brak tego uczucia prowadzi do zachwiania poczucia własnej wartości, do nieufności wobec siebie. Nie znajdując jej w sobie, szukają jej na zewnątrz. Tak naprawdę każdy z nich zachowuje się jak żebrak. Nie dostrzegając miłości ojca, żebrzą o nią na zewnątrz. Młodszy syn próbuje potwierdzić „swoją wartość", odchodząc z domu i manifestując postawę osobistej niezależności. Starszy chce zapracować na nią, służąc ojcu „tyle lat" i nie przekraczając jego rozkazów.

Zachowania i reakcje dwóch synów nie są nam obce. Braci z przypowieści Jezusa spotykamy na co dzień w naszych środowiskach, w naszych domach, a może odnajdujemy ich także w nas samych. Może przypominają nam nasze zachowania. Raz podobni jesteśmy do młodszego syna, innym razem do starszego. Nasz bunt z powodu tego, że nie czujemy się kochani, albo wyrażamy agresywnie – na zewnątrz, albo ukrywamy „pod maską" uległego człowieka. W jednym i drugim przypadku nasze samopoczucie jest podobne: czujemy się wewnętrznie spięci i zbuntowani, nie ufamy sobie, lękamy się, że sobie nie poradzimy, że zostaniemy odrzuceni. Na zewnątrz manifestujemy pozorną pewność i zadowolenie. Mówimy wtedy: „po co się przejmować", „życie trzeba przeżyć na luzie", „najważniejsze, żeby było odlotowo" itp. Tymczasem rośnie w nas frustracja, surowość wobec siebie, samoagresja.

Wszystkie te symptomatyczne reakcje „dwóch synów", żyjących pośród nas i w nas, zdradzają chorobę, która leży u korzeni ich zachowań. Ta choroba to zaniżone poczucie własnej wartości, a co się z tym wiąże: brak pewności, że jest się kochanym i akceptowanym. Jest to szczególne schorzenie naszych czasów, w których paradoksalnie usiłuje się kreować człowieka na absolutnego pana swojego życia. Badania przeprowadzone wśród duchownych i świeckich wykazały, że aż 75 proc. badanych cierpi na zaniżone poczucie własnej wartości[8].

Warto w tym momencie zadać sobie kilka pytań i pozostać z nimi przed Bogiem na osobistej modlitwie: Co mogę powiedzieć o poczuciu własnej wartości? Jakie jest moje wewnętrzne samopoczucie, kiedy myślę i mówię o sobie? Co mnie cieszy, a co smuci lub frustruje? Czy w moim życiu czuję się stabilny i „u siebie"? Czy doświadczam stanów niepewności?

## Ucieczki synów i nasze ucieczki

Po odpowiednim czasie przeznaczonym na refleksję i modlitwę spróbujmy uczynić następny krok. Otóż pierwszy obraz i pierwsza obserwacja synów z przypowieści Jezusa pomogły nam odkryć, że są to ludzie wewnętrznie niezadowoleni, a nawet sfrustrowani. Przypomnijmy, że żyją w domu z ojcem, którego Jezus przedstawia jako człowieka

---

[8] Za A. Cencini, *Będziesz miłował Pana Boga swego. Psychologia spotkania z Bogiem*, Kraków 1995, s. 11.

o szczególnej dobroci, delikatności i łagodności. Skąd więc u nich niezadowolenie i głęboka frustracja? Po uważnym słuchaniu przypowieści Jezusa możemy zauważyć, że problem nie tkwi w ojcu, ale w synach. Prawdopodobnie (jest to moje odczucie wynikające z wsłuchiwania się w przypowieść) nie są do końca świadomi swojego problemu. Powiedziałbym, że przeżywają wewnętrzny konflikt, którego nie potrafią nazwać po imieniu. Wiedzą jedynie, że czują się źle i przyczyn tego stanu szukają w ojcu. Każdy z innego powodu. Każdy z nich w typowy dla siebie sposób wypowiada swoje niezadowolenie, swój wewnętrzny konflikt. Każdy próbuje go rozwiązać inaczej. Zobaczmy, jak bracia próbują sobie poradzić z własnym problemem. Wpatrując się w nich, będziemy jednocześnie zwracali uwagę na siebie samych. Będziemy pytali siebie, w czym jesteśmy do nich podobni.

## Ucieczka „trzaskającego drzwiami"

Rozpatrzmy najpierw postawę młodszego syna. W jaki sposób próbuje wyrazić swoje złe samopoczucie i „uzdrowić się"? Wydaje mu się, że dusi się we własnym domu i że to właśnie dom go przytłacza: jego relacje z bratem i z ojcem. Sądzi, że poza domem znajdzie własną, nową przestrzeń życia. Wyraźnie wskazują na to słowa: „Ojcze, daj mi część majątku, która na mnie przypada" (Łk 15, 12) i jego jednoznaczne zachowanie: „Niedługo potem młodszy syn, zabrawszy wszystko, odjechał w dalekie strony" (Łk 15, 13). Widać tu symbol człowieka, który szamocze się wewnętrznie z powodu ludzkich ograniczeń moralnych i duchowych, który nie chce się do nich przyznać zarówno przed ojcem, jak i przed sobą. Udanie się w „dalekie strony" jeszcze bardziej podkreśla jego chęć fizycznego oddalenia się i pełnego uniezależnienia. Przypowieść pozwala nam przypuszczać, że udał się aż poza granice swego kraju. Mówi o pasieniu świń – zwierząt, które Żydzi uważali za nieczyste, i dlatego ich nie hodowali.

Również jego decyzja o zabraniu części majątku i odejściu z domu nie były sprawami błahymi. Były posunięciem bardzo drastycznym. Tak naprawdę, nie miał prawa tego uczynić. Swym postępowaniem wykroczył poza przyjęty obyczaj. Jeśli przeczytamy ten sam tekst w języku greckim, zauważymy, że jego gest był o wiele bardziej dramatyczny. Kiedy Łukasz pisze, że odjechał, zabrawszy wszystko, już nie powtarza słowa majątek, którego używa wcześniej (Łk 15, 12), ale posługuje się innym określeniem – *bios*, czyli samo życie. Zabrał więc ojcu to, co potrzebne jest do życia. Krótko mówiąc, pozbawia ojca środków do życia i utrzymania. Zabiera je ze sobą. Sam po powrocie przyzna, że był to grzech wołający o pomstę do nieba i grzech przeciw ojcu: „zgrzeszyłem przeciw niebu i względem ciebie" (Łk 15, 21).

Wszystko to czyni jeszcze bardziej wymowną jego postawę, którą określę tutaj mianem twardego typa. Nie próbuje wpierw o tym rozmawiać. Nikomu nie mówi o swoich zamiarach, nie komunikuje o tym, co robi. Odchodząc z domu, nie mówi o sobie, nie opowiada o swoich planach. Po prostu odjeżdża.

Postawa opisana przez Jezusa staje się dla nas symbolem pewnego rodzaju zachowania człowieka zagubionego, który nie chce ujawnić swojej bezradności i dlatego zakłada maskę „twardego" człowieka. Jezus przywołuje problemy aktualne w naszych czasach. W naszych domach i w nas samych także żyje „młodszy syn" podobny do tego z przypowieści. Myślę o typie człowieka, który na zewnątrz chce manifestować, że jest panem siebie, że jest samowystarczalny, potrafi dominować nad innymi i żyć na luzie. Zabiera część majątku i wychodzi z domu, aby pokazać swoją niezależność i „dojrzałość". Patrząc głębiej, zauważymy, że pod zewnętrzną powłoką kryje się zalęknione, kruche i nieporadne dziecko. Jego ostentacyjne zachowanie „człowieka wyzwolonego" jest rodzajem parawanu i maski, które zasłaniają jego głęboki problem wewnętrzny, a mianowicie niepewność siebie.

Tak naprawdę problem „współczesnego młodszego syna" polega często na tym, że boi się on samego siebie. Boi się siebie, bo siebie nie zna. Boi się odkrycia prawdy o sobie, o swoich słabościach.

Prawdopodobnie nie wie, że zamykając się w sobie z własną słabością i cierpieniem, dramatyzuje i wyolbrzymia swój problem. W ten sposób pogłębia w sobie negatywny obraz samego siebie. Odejście z domu młodszego syna, które dzisiaj przybiera różne formy uniezależnienia się, jest często formą ucieczki od siebie, jest próbą desperackiego zaangażowania się w nowe życie, aby odciąć się od swoich dotychczasowych korzeni. A przecież zawsze jest tak, że „odchodzący z domu" zabiera w „nowe życie" siebie samego z tym wszystkim, czym jest, z całym swoim dotychczasowym życiem, z całą swoją historią. Finał takiej ucieczki nie może być inny od tego z przypowieści Jezusa. W sposób znamienny oddają ten moment słowa Jezusa, który w jednym zdaniu zwraca uwagę na dwa czyny młodszego syna: zabrał wszystko i roztrwonił swój majątek (Łk 15, 13).

Kiedy człowiek próbuje uciec od siebie, od poznania własnych słabości, wówczas sam staje się ich ofiarą. Uciekając od siebie, staje się wewnętrznie niepewny i sfrustrowany, zmęczony sobą. Roztrwonienie majątku, niekoniecznie zaplanowane i chciane, jest dowodem kompletnego zagubienia syna i jego krótkowzroczności. Wiemy dobrze, gdyż potwierdza to nasze życiowe doświadczenie, że najbardziej czujemy się zalęknieni i niepewni wobec tego, co jest przed nami skryte i niedostępne. Ilekroć ukrywamy swoje prawdziwe oblicze, tlekroć żyjemy w lęku. Konsekwencje takiej postawy są do przewidzenia. Im bardziej boimy się przyznać do siebie i odkryć swoje wewnętrzne napięcia, tym bardziej wzmaga się w nas poczucie niepewności i braku bezpieczeństwa. I wtedy jeszcze bardziej zamykamy się w sobie. Powstaje błędne koło.

Młodszy syn uosabia więc człowieka wewnętrznie słabego, który będąc niepewnym siebie i podświadomie lękliwym, zakłada maskę człowieka twardego. Patrząc z zewnątrz, jest to typ człowieka trzaskającego drzwiami, gwiżdżącego na wszystko, manifestującego życie na luzie i niepotrzebującego niczyjej pomocy. Chce on udowodnić wszystkim, że jest coś wart. Problem takiego człowieka polega na tym, że zdecydował się żyć w masce, nie może więc przyznać się do tego, kim jest naprawdę. Twarz ludzi jego pokroju jest często bardzo napięta. Są to ludzie, którzy „nigdy się nie mylą". Błędy i pomyłki przypisują innym osobom lub okolicznościom. Na poziomie życia duchowego są osobami, które boją się wejść w głębszą autorefleksję. Trudno też zachęcić ich do tego. Unikają ciszy, nudzą się, gdy mają pozostać sam na sam ze sobą, nie potrafią podjąć dłuższej modlitwy.

Tacy ludzie myślą o sobie jak młodszy syn z przypowieści: zbyt „optymistycznie". Jest to sposób na granie roli „twardego". W rzeczywistości ludzie ci w głębi siebie są niezadowoleni i chociaż nie dają tego po sobie poznać, w swoim wnętrzu pozostają często bardzo smutni. Widać to nieraz po ich oczach i napiętym wyrazie twarzy. Wskutek tego wiele energii w kontaktach międzyludzkich trwonią na ukrywanie i negowanie swojego złego samopoczucia, na robienie „dobrego wrażenia". Szukają potwierdzenia swoich wartości „na zewnątrz", ponieważ wewnętrznie sami sobie nie potrafią go ofiarować. Jedną z form potwierdzania swojej wartości i zademonstrowania siły na zewnątrz jest próba dominowania nad innymi, aż do stosowania przemocy.

Jest to zachowanie typowe dla młodszego syna, który chce pokazać swoją siłę przed ojcem i wobec starszego brata. Zwróćmy uwagę na kilka szczegółów, które można dostrzec dopiero „z bliska". Otóż syn domaga się od ojca części majątku, która na niego przypada (Łk 15, 12). Ze słów chłopca wyraźnie przebija jurydyczne podkreślenie swoich praw, będące rodzajem manifestacji. Jednocześnie jego pokaz siły nie odpowiada prawdzie. Jest nadużyciem. Zauważmy, że syn nie tylko domaga się podziału majątku, ale także prawa do dysponowania swoją częścią. Tymczasem zgodnie z żydowskim zwyczajem powszechnie obowiązującym w czasach Jezusa ojciec, jeśli taka była jego wola, mógł przekazać dzieciom swój majątek jeszcze za życia, ale z zasady nadal nim zarządzał aż do swojej śmierci[9].

[9] Por. W.R. Farmer (red.), *Międzynarodowy komentarz do Pisma Świętego. Komentarz katolicki i ekumeniczny na XXI wiek*, Verbinum 2001, s. 1281.

W przypowieści Jezusa syn domaga się i de facto zgarnia swoją część majątku, do czego nie ma prawa przed śmiercią ojca. Nie ma więc wątpliwości, że za jego zachowaniem kryje się drastyczny akt przemocy. Okazuje się „twardym" względem ojca, względem domu, w którym się urodził i był wychowany, „twardy" względem tradycji, w której wzrastał, względem świętego prawa. Wszystko po to, aby potwierdzić na zewnątrz swoją niezależność i dominację, swoją pewność siebie, której tak naprawdę nie posiadał.

Mentalność młodszego syna jest coraz częściej lansowana w naszym społeczeństwie: „musisz być silny", „musisz walczyć o swoje", „nie możesz pokazać, że jesteś słabszy". Te i podobne slogany wgryzają się w życie współczesnych „młodszych synów" i deformują rzeczywisty obraz ich wartości. Powszechne staje się przekonanie, że im bardziej dominujesz, tym więcej znaczysz. Osoba, która ulega takiej ideologii, gubi swoją rzeczywistą wartość i pewność siebie. Objawia się to na różny sposób i w różnych sytuacjach. I tak na przykład ktoś taki czuje się źle, jeśli w towarzystwie jest tylko jednym z wielu. To z kolei sprawia, że żyje w klimacie zazdrości i konkurencji, w poczuciu wewnętrznego zagrożenia, a nawet agresji. Ten stan jeszcze bardziej pogrąża go w niepewności. Odmienność drugiej osoby postrzega często jako „zamach" na swoją wartość, jako zakwestionowanie siebie. Potrzebuje w swoim środowisku kogoś, kto przyjmie rolę „ofiary losu" i kogo będzie mógł za wszystko obwiniać. To przypomina mu jego ograniczenia i zagubienie. Wtedy wszyscy są winni, oprócz niego. On jako jedyny ma właściwą receptę na własne życie.

Stan wewnętrznej kruchości (ukrywanej pod maską „twardego") sprawia, że swoje życiowe plany i wybory ustala według kryteriów własnego samopoczucia. Wybiera to, co w jego mniemaniu gwarantuje mu poczucie bezpieczeństwa i udowadnia jego „wielkość", „wartość" i „wyjątkowość". Karmiony doznaniami, z jednej strony szuka aplauzu, z drugiej – cierpi z powodu panicznego lęku przed przegraną, przed odrzuceniem. W ten sposób desperacko ucieka przed samym sobą. Nie zmienia to jego zaniżonego poczucia własnej wartości. Wprost przeciwnie, pogłębia się jego niepewność, staje się on dla siebie coraz większą tajemnicą.

Przedstawiliśmy sobie w sposób nieco „przerysowany" obraz „młodszego syna", który żyje między nami i być może w nas. Wszystko po to, abyśmy dostrzegając wyraźnie cechy jego osobowości, pytali przed Jezusem siebie samych: Jakie cechy „młodszego syna" odnajduję w sobie? Pytajmy szczerze i cierpliwie. Dajmy sobie odpowiednią ilość czasu na odpowiedź. Szukajmy jej na modlitwie razem z Jezusem.

## Ucieczka „ofiary losu"

Wpatrujmy się teraz w starszego syna. Również on, jak zaobserwowaliśmy wcześniej, przeżywa uczucie głębokiego niezadowolenia. Z kontekstu całej przypowieści dowiadujemy się, że i on żyje w braku poczucia własnej wartości i pewności siebie. Niepewny jest miłości i akceptacji ojca. Zdradza to jego nagła, po długich latach przebywania w domu, reakcja na wieść o przybyciu brata i bunt wobec ojca.

W jaki sposób próbował rozwiązywać poczucie wewnętrznego niedowartościowania? Wbrew pozorom, on także, podobnie jak młodszy syn, wybrał drogę ucieczki. Była to ucieczka od konfrontacji z prawdą. Ucieka w inny sposób niż jego młodszy brat. Nie ucieka z domu, ale ucieka w siebie. Można powiedzieć, że zamieszkał w sobie ze stanem własnej niepewności. Poddał się temu stanowi w inny sposób. Przyjął rolę poddanego i uległego we wszystkim. Była to jednak uległość chora – niewolnicza, której ojciec wcale nie oczekiwał. Jego służba w domu ojca nie czyniła go wolnym i radosnym. W starszym synu widzimy typ człowieka pozornie pokornego. Ta pozorność sprawiała, że dusił się sam w sobie. Dusiła go jego chora szlachetność. Gromadziły się w nim żal i pretensje, których po czasie nie mógł już opanować. Powrót syna nie był powodem, ale jedynie okolicznością, która ujawniła wewnętrzny konflikt, który tkwił w nim od dawna.

Z psychologicznego punktu widzenia można powiedzieć, że nie stać go było na to, aby jak jego młodszy brat uciec z domu – to znaczy wyrazić swój bunt na zewnątrz. W rzeczywistości jednak bunt w nim rósł. „Trzaskał drzwiami" w swoich myślach, uczuciach i pragnieniach. Ten stan ducha ujawniła jego gwałtowna reakcja względem ojca. Zirytował się na wieść, że ojciec wyprawił ucztę dla młodszego brata, który okazał się łajdakiem i roztrwonił majątek z nierządnicami. Jezus opowiada w krótkich słowach: „Na to rozgniewał się i nie chciał wejść" (Łk 15, 28). Potem, gdy ojciec wyszedł po niego, nie wytrzymał i wylał wszystkie swoje żale: „Oto tyle lat ci służę i nigdy nie przekroczyłem twojego rozkazu; ale mnie nie dałeś nigdy koźlęcia, żebym się zabawił z przyjaciółmi" (Łk 15, 29). Zachowanie i pełne wyrzutu słowa starszego syna demaskują jego złe samopoczucie. Czuje się pokrzywdzony: harował tyle lat i nic... Pozwala nam to wydobyć pewne cechy jego charakteru.

Otóż wydaje się, że do tej pory był uległy, dużo pracował. Nie potrafił jednak cieszyć się swoim życiem i misją, jaką miał do spełnienia. Nie czuł się wolny i kochany. Postrzegał siebie jako gorszego. Miał poczucie, że jest ofiarą losu. Być może to właśnie praca, w którą uciekał, dawała mu poczucie przydatności i własnej wartości. Próbował zarobić nią na uznanie ojca. Starał się być wobec niego nienaganny i nigdy nie przekroczył jego rozkazu (Łk 15, 29). Tak przeżywając swoją codzienność w domu ojca, nie potrafił dostrzec w sobie ukochanego dziecka. Żył jak najemnik. Zarabiał na swoją wartość. Na dodatek nie wyrażał swoich uczuć i niezadowolenia. Dopiero po wielu latach wypowiedział swoje pretensje.

Starszy syn jest dla nas symbolem klasycznej postawy człowieka o niskim poczuciu własnej wartości. Człowieka, który żyje z poczuciem krzywdy i niedowartościowania. Nierzadko, jak w przypadku starszego syna z przypowieści, jest to poczucie bardzo subiektywne i nieodpowiadające rzeczywistości. Najtrudniejsze jest jednak zamykanie się we własnym złym samopoczuciu i negatywnym obrazie siebie. Taki człowiek, im bardziej się zamyka, tym bardziej czuje się wewnętrznie stłumiony i niepewny. Takie samopoczucie zwykle rzutuje na wszystkie sfery życia. Człowiek staje się więźniem swojego poczucia niższości – aresztowany przez samego siebie. Jednocześnie, ponieważ nie chce się do tego przyznać, przybiera maskę uległości. Ale do czasu. Do chwili, kiedy stan jego wnętrza, które chwilowo przypomina nieczynny wulkan, uaktywni się i wtedy nagle – nieraz ku zdziwieniu innych, którzy mieli go zawsze za spokojnego i poddanego – wybucha lawą pretensji, a nawet buntu i furii. W istocie jest to bunt przeciw sobie – przeciw sytuacji, w której się znalazł z własnego wyboru. Napięcie sięgnęło granic wytrzymałości. Dzieje się tak jak w przypowieści. Powrót młodszego brata stał się tylko pretekstem do wybuchu nagromadzonego przez lata niezadowolenia i gniewu. Choć był starszym z braci, zachowuje się teraz jak małe zagubione dziecko, które tupie nogami. Zachowanie przed domem – „rozgniewany nie chciał wejść do środka" (Łk 15, 28) – zdradza jego emocjonalną niedojrzałość. W przypływie gniewu wyznał to, co nosił w sobie przez długie lata: że nie czuł się kochany i że ciągle próbował zasłużyć na miłość, a ojciec tego nie doceniał. Te uczucia, wcześniej nieuświadomione i skrywane nawet przed samym sobą, sprawiały, że poczucie braku wartości się pogłębiało.

Tak wygląda obraz ludzkiego zachowania, w którym człowiek nie potrafi odnaleźć siebie i żyje w wewnętrznej niepewności. Nie potrafi rozeznać przyczyn swojego konfliktu. Wydaje mu się, że to ojciec i jego brat są konfliktowi – nie on.

Nasze rozważanie zamieńmy w osobistą modlitwę. Jakie doświadczenie wywołuje we mnie zachowanie starszego syna? Czy odnajduję w sobie którąś z jego cech? Na czym opieram poczucie własnej wartości? Patrząc na dwóch synów, pytajmy siebie: Czy w moim życiu nie zakładam masek? Co najbardziej staram się ukrywać przed innymi?

## Rozpoznanie

Zauważmy, co jest fundamentalnym problemem dwóch synów, których zachowanie w mniejszym lub większym stopniu odnajdujemy u siebie. Obaj żyją z zaniżonym poczuciem własnej wartości. Ich obraz siebie nie jest zgodny z prawdą. Przypowieść Jezusa zdaje się wskazywać na źródło ich cierpienia, na powód ich zagubienia. Nie potrafią dostrzec tego, co dla nas, stojących z boku, może być łatwo zauważalne. Nie dostrzegają własnej wartości, ponieważ nie dostrzegają, że są kochani. Nie doceniają, że są w swoim domu kochani, ponieważ do tej pory nie poznali jeszcze swojego ojca. Nosili w sobie zamglony, nieprawdziwy obraz ojca, chociaż żyli z nim na co dzień. Nie dostrzegając ojca takim, jaki jest naprawdę, nie mogli dostrzegać miłości, jaką do nich żywił. Negatywny obraz ojca odbijał się w nich i sprawiał, że tworzyli fałszywy wizerunek samych siebie. Nie potrafili patrzeć na siebie tak, jak patrzył na nich ojciec.

Przypowieść Jezusa o dwóch synach pokazuje nam, jak kluczowe znaczenie dla naszego przeżywania siebie ma obraz ojca, który w sobie nosimy. Za ojcem z przypowieści Jezusa ukrywa się Ojciec niebieski. Taki mamy obraz siebie, jaki mamy w sobie obraz Boga. Jesteśmy stworzeni na Jego obraz i podobieństwo. Jezus w Ewangelii uświadamia nam, że „opierając się na fałszywym obrazie Boga surowego i okrutnego, w okrutny sposób obchodzimy się z samym sobą i goryczą zaprawiamy nasze życie”[10]. Ta prawda będzie busolą na dalszej drodze naszych rozważań. Odtąd nasza droga do

---

[10] A. Grün, *Nie bądźmy...*, dz. cyt., s. 57.

poznania siebie prowadzić będzie przez poznanie prawdziwego obrazu Boga, Jego rzeczywistej twarzy. Odnajdując prawdziwy obraz Boga, odnajdujemy prawdziwy obraz siebie. Poznajemy siebie w wielkości Boga, który się w nas odzwierciedla. Poznajemy także to, co w naszym obrazie Boga i siebie jest zafałszowane[11]. W ten sposób odsłaniamy w sobie także to, co przesłania i zniekształca nasz obraz Boga i siebie. Nasza droga do poznania siebie poprzez poznawanie obrazu Boga staje się szczególną drogą uzdrowienia. Na niej bowiem Bóg uzdrawia nas i przywraca nam naszą prawdziwą wartość – taką, jaka była w Jego zamyśle w chwili, gdy nas stworzył.

[11] Por. A. Grün, *Modlitwa a poznanie siebie*, Kraków–Tyniec, 1994, s. 9-11.

*Zabiorę się i pójdę do mego ojca...*
(Łk 15, 18)

Drugi etap drogi

# Jestem stworzony na obraz Boga. Odkrywanie korzeni własnej godności

## Obraz Boga i obraz siebie

Rozpocznijmy od przypomnienia stanu ducha dwóch synów z przypowieści Jezusa. Ich główna dolegliwość polega na tym, że nie czują się kochani przez ojca. Żyjąc pod jednym dachem z ojcem, nigdy nie dostrzegli, że zawsze był przy nich i że wszystko, co posiadał, należało także do nich. Posiadali zafałszowany obraz ojca. To sprawiało, że w sposób niezgodny z prawdą traktowali także siebie. Zaniżone poczucie własnej wartości zaprowadziło ich w dalekie krainy, daleko od ojca. To doświadczenie zafałszowanego obrazu ojca i siebie działa jak sprzężenie zwrotne. Gubiąc ojca, gubią siebie. Im bardziej zaś gubią siebie, tym bardziej gubią prawdziwą twarz ojca.

Z dalszej części przypowieści wiemy, że młodszy syn po raz pierwszy odkrył, kim jest w momencie, gdy znalazł się w ramionach ojca. Wtedy odkrył ojca... i siebie. W ramionach ojca zobaczył i doświadczył, że zawsze był kochany. Również starszy syn musiał się bardzo zdziwić, gdy usłyszał coś, czego nigdy wcześniej nie dostrzegał: „Moje dziecko, ty zawsze jesteś przy mnie i wszystko moje do ciebie należy" (Łk 15, 31). W Biblii Poznańskiej znajdujemy jeszcze inne tłumaczenie: „wszystko, co mam, jest twoje". Dotąd byli nieszczęśliwi, bo nie znali ojca. Nie znając ojca, nie znali rzeczywistego obrazu siebie i nie potrafili przyjąć siebie z miłością.

Jezus w przypowieści wskazuje nam drogę naszych poszukiwań, drogę do odkrycia prawdziwego obrazu samego siebie, drogę do zaakceptowania siebie. Już powiedzieliśmy sobie na zakończenie poprzedniego rozważania, że jest to droga prowadząca przez poznanie prawdziwego oblicza Boga. Poznawanie obrazu Boga będzie przedmiotem naszych obecnych rozważań. Wsłuchując się w przypowieść Jezusa, który w rzeczywistości opowiada nam o swoim i naszym Ojcu, będziemy odkrywać i poznawać (to znaczy doświadczać!) prawdziwego Boga. Pragnę zaznaczyć, że przemierzanie tej drogi może dokonywać się jedynie na modlitwie. Nasze rozważania mają nas prowadzić do osobistej modlitwy słowem Bożym, do kontemplacji Boga w świetle słowa z przypowieści Jezusa.

Poznanie prawdziwego obrazu Boga, rozumiane biblijnie – jako osobiste doświadczenie, ma duże znaczenie dla naszego psychicznego i duchowego życia. Trafnie tę prawdę tłumaczy nam Anselm Grün: „Chory obraz Boga czyni także chorą ludzką duszę. Rezultatem wypaczonego obrazu Boga jest chęć niszczenia oraz skłonność do zamykania się w sobie i stawania się coraz bardziej nieczułym. Jeśli więc posiadam chory obraz Boga, na przykład Boga-Księgowego, Boga-Despoty, Boga-Wyczynowca, wówczas kształtuje to charakter mojej pobożności. Jestem wtedy przekonany, że muszę być wydajny, wypełniać wszystkie obowiązki, aby dobrze wypaść w Bożej buchalterii. Surowy obraz Boga prowadzi do surowej pobożności, której objawem jest obranie twardego kursu w stosunku do siebie. Wynika stąd konieczność ciągłego pytania, jaki obraz Boga wyciska piętno na moim zachowaniu"[12].

## Droga do odkrywania prawdziwego obrazu Boga

Jezus w przypowieści o dwóch synach skupia się na momencie przełomowym, który staje się decydującym dla rzeczywistego poznania ojca. Właściwie wszystko w opowiadaniu Jezusa zmierza do tego właśnie momentu. Jest to ten moment, w którym młodszy syn osobiście odkrywa ojca. Kiedy? Gdy znajduje się w jego ramionach, wtulony w łono ojca. W lekturze tej przypowieści uderzyło mnie coś, czym pragnę się podzielić. Wsłuchując się w Jezusa, który opowiada o dziecku tulonym w ramionach ojca, uświadomiłem sobie, że przecież opowiada to Ten, w którym Ojciec wybrał mnie jeszcze przed założeniem świata (por. Ef 1, 4). Słucham Jezusa, który jest obrazem Boga nie-

---

[12] A. Grün, *Nie bądźmy...*, dz. cyt., s. 94.

widzialnego, pierworodnym wobec każdego stworzenia.

Wpatrując się w dziecko w ramionach ojca, przykuły moją uwagę ręce ojca. Zobaczyłem w tym obrazie niezwykłe odwołanie się do rąk i ramion Stwórcy, z których każdy z nas wyszedł i do których każdy z nas wraca. Uświadomiłem sobie, że Jezus pokazuje mi w tym obrazie cały sens mojego życia, które prowadzi do ramion i łona Ojca, w którym zostałem poznany, umiłowany i stworzony na swój obraz i podobieństwo. Wracając do Niego, wracamy do swojego pierwotnego obrazu. Tak długo nie odnajdziemy siebie w ramionach Boga Ojca, jak długo nie odkryjemy własnej wartości. Tylko w ramionach Ojca możemy odnaleźć swoją najgłębszą godność. W tym momencie rozumiemy, jak wielkim darem jest dla nas Jezus, który opowiada nam o Ojcu. Dzięki Niemu poznajemy, Tego, który wybrał nas przed założeniem świata, który jest Bogiem niewidzialnym.

Tak oto rozpoczynamy nowy etap naszej drogi do poznania siebie. Jest to droga do odkrycia prawdziwego obrazu Boga – naszego Stwórcy. Tego obrazu nie odkryjemy poza Nim. Podobnie jak dwaj synowie, dopóki żyli obok ojca, poza jego ramionami, czuli się w domu obco, byli zagubieni we własnym życiu. Obraz Boga możemy odkrywać tylko w klimacie Jego ramion, Jego obecności i Jego spojrzenia. Odtąd chcemy skupić się przede wszystkim na obrazie Boga. W pierwszym etapie naszej drogi przypatrywaliśmy się dwóm synom, aby w nich odkryć siebie. Teraz chcemy się skupić na tym, który jest głównym bohaterem przypowieści – na ojcu, w którym chcemy odkrywać Ojca Jezusa i naszego Ojca.

Najpewniejsza droga do poznania prawdziwego obrazu Boga prowadzi przez medytację Bożego słowa. Przede wszystkim dlatego, że w słowie objawionym Bóg zawarł wszystko, co chciał nam o sobie powiedzieć. Również dlatego, że każde inne, pośrednie poznawanie Boga (jedynie poprzez nasze wyobrażenie, ustalone schematy) jest narażone na zafałszowanie. Kiedy poznajemy Boga jedynie wzrokowo i przez ludzkie słowo, zawsze istnieje niebezpieczeństwo błądzenia jak w przypadku synów z przypowieści Jezusa. Chciejmy nie tylko słuchać, ale także przeżyć to, co sam Bóg mówi o sobie.

Najdoskonalszą drogą do poznania Boga jest Jezus Chrystus, Słowo Wcielone posłane nam przez Ojca. Słuchajmy więc dalej Jego przypowieści. Nikt nie może przyjść do Ojca jak tylko przez Jezusa (por. J 14, 6). Niech nam więc towarzyszy nieustannie prośba Filipa, który zwraca się do Jezusa: „Panie, pokaż nam Ojca" (J 14, 9). Skupmy się na tym, co Jezus mówi w przypowieści o ojcu. Mówiąc o ojcu, Jezus mówi o Bogu – swoim Ojcu. Można powiedzieć, że w jednej przypowieści Jezus zawarł wszystkie najważniejsze rysy oblicza Boga przekazane w Objawieniu. Są to jednocześnie rysy niezwykle istotne dla poznania obrazu samego siebie.

Przypatrzmy się wizerunkowi Boga, jaki Jezus przedstawia nam w przypowieści i starajmy się go skonfrontować z naszym dotychczasowym wyobrażeniem Boga. Spróbujmy uchwycić najważniejsze rysy Jezusowego opisu. Na początku naszych rozważań należy podkreślić, że tak jak Jezus w przypowieści o dobrym ojcu będziemy posługiwali się językiem obrazu. Jednocześnie powinniśmy pamiętać, że posługując się tym językiem, używamy jedynie *języka pewnego porównania*, który jest bardzo ograniczony. Bóg jest Kimś stokroć większym, niż mogą to wyrazić nasze obrazy. Mówienie o Bogu po ludzku nie jest z naszej strony przypisywaniem Mu ludzkich przymiotów czy cech. Bóg nie jest stworzeniem. To my mówimy o Nim jako Jego stworzenia. Antropomorfizmy, których użyjemy, są więc dla nas językiem, za pomocą którego pragniemy wyrazić to, co boskie i nieporównywalnie doskonalsze od naszego ludzkiego istnienia. To, co najbardziej boskie, chcemy uchwycić przez to, co dla nas najbardziej ludzkie.

## Bóg bardzo bliski

Zatrzymajmy się na pierwszym obrazie: ojciec, który żyje z dziećmi pod jednym dachem. Dom jest miejscem urodzenia, karmienia, wychowywania, dziedziczenia, miejscem intymnych relacji osób, które żyją najbliżej siebie. Jezus opowiada o takim właśnie domu. Symbolem tego domu jest przede wszystkim ojciec: kochający, łagodny, wyczekujący, miłosierny. Jezus w postaci ojca przedstawia nam Boga, który żyje z człowiekiem pod jednym dachem. Jest to Bóg, który uczestniczy w ludzkiej codzienności, żyje razem z nim i żyje tym, co człowiek. Nie jest więc Bogiem dalekim. Nie jest Bogiem deistów, który dał nam świat i życie i o resztę się nie martwi. Nie mówi: „Twoje życie mnie nie obchodzi". Co więcej, to właśnie On nie przestaje być obecny i wyczekujący, nawet wtedy, gdy dziecko mówi do Niego: „Odchodzę. Ty mnie już nie obchodzisz".

Jest Bogiem, który pragnie bardzo bliskich relacji z człowiekiem. Pięknie dzieli się odkryciem tej intymnej relacji z Bogiem autor Psalmu 139. Jest to doświadczenie człowieka, który żyje z Bogiem pod jednym dachem:

> Panie, przenikasz i znasz mnie.
> Ty wiesz, gdy siedzę i wstaję.
> Z daleka przenikasz moje zamysły,
> widzisz moje działanie i mój spoczynek
> i wszystkie moje drogi są Ci znane.
> Choć nie ma jeszcze słowa na języku:
> Ty, Panie, już znasz je w całości.
> Ty ogarniasz mnie zewsząd
> i kładziesz na mnie swą rękę.
>
> (Ps 139, 1-5)

Odpowiedzią na to zwierzenie są słowa Boga zawarte w Księdze Izajasza, gdzie prorok tłumaczy i uzasadnia tę bliskość, jeszcze mocniej ją potwierdzając:

> Nie lękaj się, bo cię wykupiłem,
> wezwałem cię po imieniu; tyś moim!
> Gdy pójdziesz przez wody, ja będę z tobą,
> i gdy przez rzeki, nie zatopią ciebie.
> Gdy pójdziesz przez ogień, nie spalisz się
> i nie strawi cię płomień.
> Albowiem ja jestem Pan, twój Bóg,
> Święty Izraela, twój Zbawca.
> Daję Egipt jako twój okup,
> Kusz i Sabę w zamian za ciebie.
> Ponieważ drogi jesteś w moich oczach,
> nabrałeś wartości i Ja cię miłuję.
>
> (Iz 43, 1-4)

Jest to więc Bóg, który – używając ludzkiego języka – rozmawia, tęskni, odczuwa, obejmuje ramionami. Nie jest jakąś abstrakcyjną i bezosobową siłą. Jest żywą Osobą. Żyje w bardzo bliskich relacjach z człowiekiem, pozostając Bogiem i pozostawiając człowieka człowiekiem. Nie jest nadprzyrodzoną, bezosobową energią, która sprawia, że człowiek się w niej rozpływa, traci swoją osobowość czy tożsamość. Potrafi przychodzić do nas w sposób niezwykle prosty, aby z nami zamieszkać. Jezus, który opowiada przypowieść o Bogu Ojcu, jest jednocześnie najbardziej wiarygodnym świadkiem tej bliskości. On, Syn Boga, stał się człowiekiem, aby uczestniczyć z nami we wszystkim, co ludzkie, oprócz grzechu. Zdecydował się być tak blisko nas, że wszedł nawet w nasz świat grzechu, aby sam będąc bez grzechu, cierpieć skutki naszych grzechów.

Rozszerzając przypowieść Jezusa, możemy powiedzieć, że ojciec pozostaje w domu pod jednym dachem z dziećmi. Gdy te się gubią i wchodzą w świat grzechu i śmierci, posyła za nimi swe Dziecko – Jezusa Chrystusa. Staje się tułaczem, aby być blisko wędrującego w trudzie człowieka. Bóg zawsze pozostaje z nami. Jego dom jest zawsze tam, gdzie są Jego dzieci. Drzwi Jego domu pozostają zawsze otwarte, nawet wtedy, gdy my sami trzaskamy drzwiami i odchodzimy. Jezus wróci do tego obrazu na krótko przed męką. Do zatrwożonych i niepewnych uczniów będzie mówił z troską brata: „Niech się nie trwoży serce wasze. Wierzycie w Boga? I we Mnie wierzcie! W domu Ojca mego jest mieszkań wiele. Gdyby tak nie było, to bym wam powiedział" (J 14, 1-2).

Tymczasem zachowanie synów z przypowieści Jezusa przypomina nam częstą dziś postawę człowieka, który żyje z Bogiem i jednocześnie nawiązuje z nim pogańskie relacje – obce i zimne. Nierzadko Bóg pozostaje w naszej religijności i duchowości Bogiem dalekim, który „ma swój świat", w którego istnienie wierzymy, ale któremu nie wierzymy. Jest to Bóg, którego trzeba codziennie lub co niedzielę zadowalać i obłaskawiać pacierzem, obrzędem religijnym, chodzeniem do kościoła. Jednocześnie dobrze nam z Nim. Chcemy, aby pozostał w swoim niebie, daleko od nas, abyśmy mogli zachować przed Nim naszą prywatność. Traktujemy Go z dystansem, gdyż boimy się, że za bardzo zbliży się do nas i będzie ingerował w nasze życie. Bierzemy część majątku, która wydaje nam się, że do nas należy i udajemy się do dalekiej krainy. Potem trwonimy majątek i zaczynamy odczuwać głód. Myślimy, że możemy go zaspokoić byle czym – „strąkami dla świń". Na różny sposób próbujemy „nie być głodni". Próbujemy zaradzić głodowi, wyjeżdżając w krainę konsumpcji, zmysłowych wrażeń, a tymczasem głód staje się o wiele głębszy. Jest to ten sam głód, który był w nas, gdy odchodziliśmy od Boga – jest w nas głód Ojca, bez którego życie staje się wygnaniem.

Pozostańmy na osobistej modlitwie z naszym obrazem Boga bliskiego. Pytajmy siebie: Czy jest On dla mnie żywą Osobą, Bogiem bliskim? Co mogę powiedzieć o mojej z relacji Nim? Czy pragnę, aby był dla mnie Bogiem bliskim? Czy tęsknię za Jego bliskością? Czy się jej nie boję? Stańmy z tymi pytaniami przed Jezusem. Prośmy Go serdecznie: „Jezu, mój Bracie, pokaż mi Ojca".

## Ojciec

Ten obraz Boga w przypowieści Jezusa jest kluczowy. Jest sercem nie tylko tej Łukaszowej historii, lecz także całej Dobrej Nowiny. Jezus przedstawia nam Boga jako Ojca. Oznacza to, że jest naszym Rodzicem w najpełniejszym tego słowa znaczeniu. Otrzymaliśmy od Niego życie, które w nas pulsuje: oddech, serce, nerki, nogi, ręce, oczy... Również zdolność odczuwania, pragnienia, marzenia i kochania – to wszystko mamy od Niego. A nade wszystko jest w nas ów *nešamach,* Jego pieczęć życia i duchowości[13]. W swojej przypowieści Jezus przypomina mi, od kogo mam życie i od kogo biorę swój początek.

Dla rozszerzenia i pogłębienia obrazu Ojca chciałbym wrócić do dwóch opisów, naszego stworzenia. Słowo Boże, opisując stworzenie człowieka, rysuje także portret Stwórcy – Ojca. Zwróćmy uwagę na obraz Boga Stwórcy, naszego Rodzica.

Pierwszy opis (Rdz 1, 1-2.4) pokazuje Boga, który mówiąc prostym językiem obrazu, przygotowuje powoli i stopniowo świat do naszego w nim zaistnienia. Przez pierwsze trzy dni porządkuje świat (oddziela), a przez następne cztery go ozdabia. Za każdym razem na końcu dnia cieszy się, bo widzi, że to, co stwarza, jest dobre: „Bóg widział, że było dobre". W języku hebrajskim słowo *tôb* zna-

---

[13] Por. G. Ravasi, *Księga Rodzaju...*, dz. cyt., s. 54-55.

czy nie tylko „dobre", ale także „piękne". Wreszcie, do przygotowanego domu, chcąc jak dobry ojciec i matka zrobić niespodziankę dziecku, wprowadza człowieka. W momencie naszego zaistnienia ma miejsce bardzo ważny moment. Autor natchniony informuje nas, że kiedy Bóg stworzył człowieka, widział, że „wszystko, co uczynił, było bardzo dobre" (bardzo piękne) (Rdz 1, 31). Powtarzające się słowo „widział" maluje przed nami obraz Boga, który zachwyca się pięknem tego, co stwarza. Obraz Boga, który się zachwyca, nie był obcy ludom starożytnego Wschodu. W kulturze egipskiej na przykład wyobrażano sobie zachwyt Boga nad wschodzącym słońcem[14]. Radość i zachwyt Boga osiąga swoje apogeum, kiedy stwarza człowieka.

Od pierwszych stronic Biblia pokazuje nam Boga, który cieszy się pięknem swego dzieła, cieszy się nami. Mamy przed oczami Boga, który nigdy nie przestaje wątpić w nasze dobro i piękno, które wpisał w nasze człowieczeństwo w chwili stworzenia. Osobiście odnajduję do tej prawdy aluzję w przypowieści o ojcu, który codziennie czeka na swe dziecko i nigdy nie wątpi, że dobro raz w nim zasiane, rozbudzi tęsknotę za dobrocią ojca i przyprowadzi go do Niego.

Jest to więc portret Boga, który nieustannie widzi w nas to, co dobre i piękne. Jest to Bóg, od którego mamy się uczyć właściwego patrzenia na

---

[14] Por. G. Ravasi, *Księga Rodzaju...*, dz. cyt., s. 28.

siebie. Mamy uczyć się wiary w to, że każdy z nas wyszedł z rąk Boga dobry i piękny, że ten obraz trzeba w sobie nieustannie odnajdywać.

Jest jeszcze drugi opis Boga Rodzica, Boga Ojca i Stwórcy: wymowny obraz Boga przedstawionego jako garncarza, który jak prawdziwy artysta zanurza ręce w glinie i kształtuje człowieka. Tak pracując nad stworzeniem każdego z nas, z siebie brał wzór tego, co ukształtował (św. Ireneusz). Jest to praca artysty pełnego pasji tworzenia, który „nie potrafi" się powtarzać. Autor natchniony zachwycony tym obrazem Boga wyznaje: „Panie, Tyś naszym Ojcem. Myśmy gliną, a Ty naszym twórcą. Dziełem rąk Twoich jesteśmy my wszyscy" (Iz 64, 7). Każdy z nas jest dziełem jedynym i niepowtarzalnym i nikt nie zdoła wypełnić po nas luki, gdyby taka powstała. Każdy z nas może powiedzieć o swojej niepowtarzalności: „Nigdy przede mną nie było, ani po mnie nie będzie drugiej takiej osoby jak ja: z moją urodą, z moimi cechami charakteru. Nikt nie potrafi myśleć, odczuwać, pragnąć, marzyć i kochać tak jak ja". Wystarczy, że rozejrzymy się i popatrzymy na siebie nawzajem. My wszyscy, którzy mamy miliardy różnych twarzy, którzy posiadamy nieskończoną różnorodność odcisków palców, przeróżne cechy somatyczne i charakterologiczne, jesteśmy dziełem i odbiciem tej samej miłości Boga. Pięknie wyraża tę prawdę judaistyczna tradycja: „Ludzie, posługując się jedną matrycą, biją nieskończoną ilość monet, które są do siebie podobne. Król królów, Święty i Błogosławiony, ukształtował każdego człowieka w oparciu o matrycę, jaką jest Adam. Mimo to nie spotyka się jednostek, które byłyby identyczne, a zatem każdy może powiedzieć: „świat został stworzony dla mnie”[15].

Co więcej, drugi opis stworzenia człowieka przypomina nam także, że Bóg stwarzając nas własnymi rękami, nawiązuje z każdym z nas jedyną i niepowtarzalną relację. Tak jak w przypowieści Jezusa każdy z synów był dla ojca jedynym i niezastąpionym, tak też jest i z nami. Wydaje się, że właśnie tej prawdy nie potrafił zrozumieć starszy syn, który rozgniewany zatrzymał się przed drzwiami, za którymi ojciec radował się z powrotu młodszego brata. Nie potrafił dostrzec bezwarunkowej miłości ojca do *obu* synów. Nie mógł jej wymazać z serca nawet najgorszy występek syna. Nikt nie zastąpi nas w naszej relacji do Boga i nikt nie zastąpi nas Bogu. Bóg pracujący jak garncarz nad każdym dziełem z osobna, przypomina nam jednocześnie, że w stwarzanie każdego z nas angażuje niepowtarzalny ładunek przeżyć i uczuć. Jego miłość ma nieskończoną ilość odcieni. Jest to ta miłość Ojca, o której opowiada Jezus w przypowieści: miłość Ojca, który kocha swoich synów uczuciem niepowtarzalnym, każdego miłością największą.

---

[15] Za: G. Ravasi, *Księga Rodzaju...*, dz. cyt., s. 54.

Tak jak w pierwszym opisie widzimy Boga Rodzica, który uczy nas dostrzegać w sobie dobro i piękno, tak teraz, w drugim opisie Bóg Stwórca odsłania nam obraz naszej wielkości. Bóg, stwarzając nas, celebrował wielkość człowieka, wielkość każdego z nas. Nie tylko dlatego, że nasza nadzwyczajna kora mózgowa posiada dziesięć miliardów komórek i przynajmniej milion miliardów połączeń, ale przede wszystkim dlatego, że pochylając się nad nami, „tchnął w nas życie", czyli *nešamach*[16]. To *nešamach* zostało udzielone jedynie nam. Przypomnijmy sobie jeszcze raz, że dając *nešamach,* tchnął w nas świadomość siebie samych, zdolność do poznania samego siebie, do kierowania sobą, twórczą wolność, zdolność introspekcji i intuicji.

Bóg Ojciec, to Bóg *Stworzyciel i Tworzyciel* (Iz 43, 1). Drugi opis Stwórcy – garncarza przypomina nam niezwykle ważną prawdę egzystencjalną, że On nas nie tylko ukształtował, ale kształtuje nadal, nieustannie. Oczekujący ojciec w przypowieści Jezusa odsłania także tę prawdę. Gdyby Bóg przez jedną chwilę przestał na nas czekać, przestał nas pragnąć i o nas myśleć, przestalibyśmy istnieć. On nieustannie nas kształtuje i nieustannie wypełnia nas życiem. Hinduski poeta Rabindranath Tagore modli się: „Panie, zgodnie z Twoją wolą uczyniłeś mnie niezmiernym. To kruche naczynie ciągle opróżniasz i nieustannie napełniasz nowym życiem.

---

[16] Zob. tamże, s. 51-56.

(...) Mijają wieki, i choć kontynuujesz obdarowywanie, ciągle jest jeszcze miejsce do wypełnienia"[17].

Warto w tym miejscu zatrzymać się, aby modlić się obrazem Boga Ojca. Jezus zaprasza mnie, abym kontemplował Ojca, który cieszy się moim życiem, który widzi moje dobro i piękno, który nieustannie daje mi życie i stwarza mnie swoimi rękami. Czy ten obraz jest mi bliski? Jakie budzi we mnie doświadczenia?

## Ojciec, który czeka i tęskni

Obraz czekającego i tęskniącego za nami Boga Ojca przypomina nam bardzo ważną prawdę. Jezus chce nam powiedzieć, że Bóg nas oczekuje od zarania dziejów, że nas zapragnął i wybrał jeszcze przed założeniem świata, zanim przyszliśmy na świat. Nasze życie jest powracaniem do Jego łona, z którego wyszliśmy. Ta ewangeliczna prawda posiada kluczowe znaczenie dla zrozumienia wartości naszego życia i ukrytego w nim powołania. Bóg zna każdego z nas po imieniu i od samego początku naszego istnienia, zanim jeszcze matka poczęła nas w swoim łonie, myślał o nas. On sam wyznaje:

> Zanim ukształtowałem cię w łonie matki,
> znałem cię,

---

[17] Za: G. Ravasi, *Księga rodzaju...*, dz. cyt., s. 53.

nim przyszedłeś na świat,
poświęciłem cię...

(Jr 1, 5)

*A więc zanim matka nosiła nas pod swoim sercem, On pierwszy „nosił nas pod swoim sercem".* Żyjemy, ponieważ Bóg wcześniej zapragnął naszego życia i powołał nas: „...nim przyszedłeś na ten świat, poświęciłem cię" (Jr 1, 5). Tylko Bóg zna powód, dla którego każdy z nas żyje. W zamyśle Boga nasze powołanie wyprzedza nasze życie. Innymi słowy, mogę powiedzieć do siebie, żyję, ponieważ zostałem przez Boga powołany, ponieważ Bóg mnie pragnie. Jezus w przypowieści mówi nam, że Ojciec nigdy nie przestanie nas pragnąć, oczekiwać i za nami tęsknić. Nigdy nie zniechęca się i nie przestaje patrzeć na nas i o nas myśleć: Jan Paweł I, znany jako papież uśmiechu, z dziecięcym humorem napisał kiedyś takie słowa: „Jeśli przypadkiem tam, w górze, w raju, Pan Bóg posiada stolik, to z pewnością na stoliku jest zawsze przed Jego otrzyma moja fotografia...". To zdanie wypowiedział pod wrażeniem Bożego wyznania, które przeczytał u Izajasza: „Oto wyryłem cię na obu dłoniach" (Iz 49, 16).

Jezus opowiada dramatyczną historię dzieci, aby jeszcze bardziej przekonać nas o tym, że Ojciec czeka i myśli o nas zwłaszcza wtedy, gdy się zagubimy jak młodszy czy starszy syn. Nawet wtedy, gdy wydaje nam się, że już wszyscy o nas zapomnieli i żałują nam nawet „strąków dla świń", On wychodzi naprzeciw nam i powtarza:

Czy może niewiasta
zapomnieć o swym niemowlęciu,
ta, która kocha syna swego łona?
A nawet, gdyby ona zapomniała,
Ja nie zapomnę o tobie!

(Iz 49, 15)

Czekanie ojca na marnotrawne dziecko pięknie ilustruje fragment z Księgi Ozeasza, w którym Bóg zwierza się dziecku ze swej miłości. Zwierza się, choć dziecko nie słyszy, bo odeszło daleko. Mówi do siebie, czekając na nasz powrót, żyje wspomnieniami. Spróbujmy w tym zwierzeniu usłyszeć swoje imię:

Miłowałem Izraela, gdy jeszcze był dzieckiem,
i syna swego wezwałem z Egiptu.
Im bardziej ich wzywałem,
tym dalej odchodzili ode Mnie,
a składali ofiary Baalom
i bożkom palili kadzidła.
(...) Uczyłem chodzić Efraima,
na swe ramiona ich brałem;
oni zaś nie rozumieli, że troszczyłem się o nich.
Pociągnąłem ich ludzkimi więzami,
a były to więzy miłości.
Byłem dla nich jak ten, co podnosi
do swego policzka niemowlę
schyliłem się ku niemu i nakarmiłem go.

(Oz 11, 1-4)

W Księdze Jeremiasza przyznaje się do tego, że tęskni za nami i „marzy", jakby widział dzień naszego powrotu jeszcze wtedy, kiedy my ciągle błądzimy:

> Ja zaś powiedziałem sobie:
> Jakże chciałbym cię zaliczyć do synów
> i dać ci przepiękną ziemię
> najwspanialszą pośród posiadłości narodów!
> Myślałem: będziesz mnie nazywał:
> „Mój Ojcze!"
> i nie odwrócisz się ode Mnie!
>
> (Jr 3, 19)

## Ojciec i Matka

Musimy jeszcze koniecznie wrócić do słów Jezusa, w których opowiada nam o ojcu wyczekującym dziecka. Tym razem zwróćmy uwagę na jego zachowanie w momencie, gdy ujrzał syna: *„A gdy [syn] był jeszcze daleko, ujrzał go jego ojciec* i wzruszył się głęboko; wybiegł naprzeciw niego, rzucił mu się na szyję i ucałował go" (Łk 15, 20). Zauważmy, że każde następne słowo Jezusa, po tym jak opowiedział, że ojciec ujrzał dziecko, przbliża nam ojca. Jezus chciał, abyśmy mogli z bliska zobaczyć jego głębokie wzruszenie i to, co dzieje się w jego sercu. Zaczyna opowiadać nam o uczuciach ojca w momencie, gdy ujrzał wracające dziecko: *wzrusza się głęboko, wybiega na spotkanie, rzuca mu się na szyję i całuje.*

Otóż w czułości ojca, w jego głębokim wzruszeniu Jezus odsłania nam jego matczyne serce. Tak jakby Syn przebywający w łonie Ojca chciał nam ujawnić jeden z najpiękniejszych przymiotów swego Ojca, którego nikt nie zna, tylko On i ten, komu zechce go objawić. Jezus w osobie wzruszonego ojca ukazuje nam Boga, który jest Ojcem i Matką równocześnie. Znamienne jest, że w Starym Testamencie, gdy mówi się o czułości, miłosierdziu, współczuciu Boga, używa się hebrajskiego określenia *rahamim,* co znaczy „łono". Jezus, przywołując czułość i wzruszenie ojca, zbliża nas do Boga *jako Ojca i Matki.* W opisie głębokiego wzruszenia ojca (por. Łk 15, 20) Jezus ukazuje nam macierzyństwo Boga. Jest w tym wzruszeniu aluzja do mentalności żydowskiej, która od razu przywołuje na myśl czułe zachowanie matki. Ojciec w przypowieści Jezusa ma serce matki.

Do ojcostwa i macierzyństwa Boga odwołuje się już wczesna tradycja. Święty Augustyn wyznaje: „Jesteśmy małymi dziećmi wobec Boga: Jego trzeba uważać za Ojca i Jego też za Matkę. Jest On Ojcem, bo stworzył świat, bo powołał do swojej służby, bo On rozkazuje, bo On rządzi; jest On też Matką, bo On ogrzewa, bo On karmi mlekiem, bo On ogarnia ramionami"[18].

---

[18] Święty Augustyn, *Ennarationes in Psalmum* 26, 2, 18, CCL 38, 1956, s. 164. Cyt. za: M.-A. Vannier, *Bóg Ojciec Tajemnica Miłości. Ojcowie Kościoła o Bogu Ojcu,* Warszawa 1999, s. 125.

Doskonale ukazał tę prawdę Rembrandt, przedstawiając na wspomnianym obrazie dziecko w ramionach ojca. Dobry ojciec obejmujący z czułością odnalezione dziecko ma dwie różne dłonie: jedna to dłoń kobiety, druga to dłoń mężczyzny: dwie dłonie Boga – matczyna i ojcowska. Jedną ręką podtrzymuje, a drugą pieści odzyskanego syna. Henri Nouwen, który spędził długie godziny w Ermitrażu, wpatrując się w obraz Rembrandta, dzieli się swoimi osobistymi przeżyciami i odkryciami: „Im dłużej patrzę na «patriarchę», tym bardziej jest oczywiste dla mnie, że Rembrandt nie przedstawił Boga jako mędrca czy głowę rodziny. Wszystko zaczęło się od rąk. Obie są zupełnie inne. Lewa ręka dotykająca ramienia syna jest silna i umięśniona. (...) Mam wrażenie, że ta ręka nie tylko dotyka, ale poprzez swą siłę podtrzymuje. (...) Jakże inna jest prawa dłoń ojca! Ta ręka ani nie trzyma, ani nie chwyta. Jest dystyngowana, delikatna i bardzo czuła. (...) Chce pieścić, głaskać, nieść pocieszenie. To jest dłoń matki"[19].

## Bóg, który szanuje naszą wolność

Chciałbym zwrócić uwagę na jeszcze jedną cechę „twarzy" Boga, którą odsłania nam Jezus w przy-

---

[19] H. J. M. Nouwen, *Powrót syna marnotrawnego*, Poznań 1995, s. 111-112.

powieści o ojcu. Jest nią *delikatność i szacunek dla naszej wolności*. Otóż szokująca może wydawać się postawa ojca, który na żądanie dziecka, bez słowa przekazuje mu część majątku, a potem nie próbuje go nawet powstrzymywać, gdy pewnego dnia bez wyjaśnienia odchodzi z domu. Postawa ojca bardzo zastanawia. Może nawet drażnić i rodzić pytanie: Dlaczego ojciec pozwala dziecku na tak wiele? Dlaczego toleruje zachowanie, które – jak już wcześniej wyjaśniliśmy – uderzało w powszechnie obowiązujące zwyczaje?

Dzięki nietypowemu zachowaniu ojca Jezus zwraca naszą uwagę na uderzającą prawdę: Bóg nie chce być intruzem w naszym życiu. Nie będzie nas zmuszał nawet do tego, co dobre i powszechnie obowiązujące. Wśród wielu darów, które nam zostawił, jest dar wolności. Używając ludzkiego języka, powiedzielibyśmy, że w swym obdarowaniu Bóg pozostaje niezwykle konsekwentny. Nigdy nie kieruje się wobec nas przymusem. Nie będzie nas na siłę zatrzymywał przy sobie, chociaż Jego cierpienie z powodu naszych win jest po ludzku niewyobrażalne i ukryte przed naszymi oczami, tak jak ukryte jest cierpienie ojca w przypowieści Jezusa.

Postawa ojca z przypowieści zaprasza nas do kontemplacji bezgranicznej miłości Boga Ojca. Jezus przypomina nam jednocześnie, że nie ma doświadczenia prawdziwej miłości bez doświadczenia prawdziwej wolności. Ojciec miłuje młodszego i starszego syna i dlatego szanuje ich wolność, nawet wtedy, gdy ją wykorzystują w sposób niedojrzały i przeciw niemu samemu. Nawet gdy zostawiamy go, odchodzimy jak młodszy z synów i trwonimy wszystko, lub gdy buntujemy się jak starszy, nie narzuca nam swojej woli. Czeka na nas, gdy jesteśmy młodszym synem i prosi nas „byśmy weszli do domu", gdy zachowujemy się jak stojący przed drzwiami, rozżalony starszy syn. I w jednym, i w drugim przypadku cierpi z powodu naszego zagubienia. Cierpi, ponieważ odczuwa także nasze cierpienie z powodu roztrwonionego majątku, z powodu naszego buntu i zgorzknienia, które nas dusi i nie pozwala „wejść do środka życia", w którym razem z Nim możemy się radować i ucztować.

Bóg delikatny i szanujący naszą wolność nie obraża się na nas, gdy odchodzimy i się buntujemy. Pozostawia nas wolnymi i jednocześnie jest blisko nas. Codziennie nas wygląda i powtarza: „Moje dziecko, ty zawsze jesteś przy mnie i wszystko moje do ciebie należy" (Łk 15, 31). Doświadczył tego głęboko św. Augustyn, kiedy po swoim nawróceniu zdziwiony odkrył, że Bóg nigdy nie przestał na niego czekać i że zawsze był blisko. W tym podziwie modlił się do Niego, bolejąc nad tym, że tak późno to odkrył: „Za późno Cię pokochałem, Piękności tak dawna, a tak nowa, za późno Cię pokochałem! A oto byłaś wewnątrz, a ja byłem na zewnątrz; tam Cię szukałem i ku pięknym rzeczom, stworzonym przez Ciebie, lgnąłem w mej brzydocie. Byłaś ze mną, a ja z Tobą nie byłem. Z dala od Ciebie trzymały mnie te rzeczy, które by nie istniały, gdyby nie istniały w Tobie. Zawołałaś, wezwałaś i przerwałaś głuchotę moją; zabłysnęłaś, zajaśniałaś i usunęłaś ślepotę moją (...)"[20].

Bóg potrafi każdą sytuację naszej nędzy i zagubienia zamienić w błogosławioną winę. Jest cierpliwy w wychowywaniu nas do świadomego życia i odpowiedzialności za otrzymaną wolność. Przywołany już przeze mnie dokument kościelny *Nowe powołania dla nowej Europy* wymownie tłumaczy nam tę prawdę: „Bóg Stwórca dający życie, jest także *Ojcem, który wychowuje,* wydobywa z nicości to, czym jeszcze nie jest. (...) Wydobywa z serca człowieka to, co On tam umieścił, aby był w pełni sam sobą i tym, co On powołał do istnienia na swój sposób"[21].

On wie najlepiej, że najsłuszniejszą drogą do wolności jest powrót do Niego. Bez Niego nie jesteśmy w stanie dobrze korzystać z tego daru. To właśnie w Jego czekaniu na młodszego syna i w czułej rozmowie ze starszym ukrywa się radykalne pragnienie powrotu do Niego. Tylko w Jego wolności możemy odnaleźć naszą wolność. Pozwala nam na odejścia, choć nigdy się na nie nie zgadza. W Jego czekaniu i proszeniu możemy kon-

---

[20] Św. Augustyn, *Wyznania*, Kraków 1949, s. 285.

[21] Papieskie Dzieło Powołań Kościelnych, *Nowe powołania dla nowej Europy (In verbo tuo...)*, nr 16d.

templować niepojętą dla nas delikatność i cierpliwość wobec naszego zagubienia.

Wpatrując się w obraz ojca z przypowieści Jezusa, po raz kolejny rodzi się pytanie: skoro ojciec jest tak dobry i kochający, skoro tak bliski i czuły, skąd u synów... i w nas samych tyle niepewności, wątpliwości, braku samoakceptacji, smutku i niezadowolenia? Dlaczego odchodzimy od Ojca, raniąc Jego i siebie? Czy będąc „przy zdrowych zmysłach", można odrzucić takiego Ojca? Czy nie jest raczej tak, że odchodzimy od Ojca, ponieważ nie dostrzegamy Jego rzeczywistej dobroci. Czy nie odchodzimy od złych wyobrażeń o Ojcu, nie zgadzając się na to, co zafałszowane i nieprawdziwe?

On zaś czeka, aż Go odnajdziemy, aż w Jego ramionach, jak Mojżesz w namiocie spotkania, zobaczymy Jego prawdzie oblicze? Młodszy i starszy syn mówią nam, że zafałszowanie obrazu Ojca będzie nas prowadziło do odejścia i odrzucenia. Ale to, co tak naprawę odrzucamy, to nie jest sam Bóg Ojciec, ale nasz zniekształcony obraz Ojca. Historia synów mówi nam, że nieprawdziwy obraz Ojca może fałszować nasz obraz siebie i nasze życie. Może nas prowadzić do dalekich krain albo zamykać nas na Niego „przed drzwiami domu".

Młodszy syn w ramionach ojca przekonuje nas, że tylko w Nim możemy tak naprawdę odnaleźć i poznać siebie. Tylko w Jego ramionach możemy zaakceptować siebie. I dlatego nasza dalsza droga do odnalezienia siebie będzie prowadziła przez odnajdywanie prawdziwego obrazu Boga w naszym życiu. Bóg w swoim słowie uzdrawia nasz obraz siebie, objawiając nam swoje prawdziwe oblicze.

Powinniśmy więc przed dalszą drogą zapytać siebie na osobistej modlitwie: Jaki jest mój osobisty obraz Boga? Czy zgadza się z tym, który przedstawił Jezus? Czy nie noszę w sobie innego Boga, być może zafałszowanego przez lata mojego życia? To bardzo ważne pytanie, ponieważ jak już powiedzieliśmy sobie na początku tych rozważań, zły obraz Boga sprawia, że zły staje się także obraz samego siebie. Musimy więc zejść, każdy osobiście, do własnego wnętrza. Musimy wejść na drogę oczyszczenia tego, co zafałszowane w naszym obrazie Boga. Aby tak się stało, musimy spojrzeć na siebie oczami Boga i pomodlić się jak psalmista:

> Zbadaj mnie, Boże, i poznaj me serce;
> doświadcz i poznaj moje troski,
> i zobacz, czy zdążam drogą nieprawą,
> a prowadź mnie drogą odwieczną.
>
> (Ps 139, 23-24)

Tę modlitwę zabieramy ze sobą na dalszą drogę naszych poszukiwań. Droga do odzyskania zdrowego obrazu siebie prowadzi przez odzyskanie zdrowego obrazu Boga. Tylko On sam może odfałszować i oczyścić swoim słowem zniekształcone rysy „twarzy” Boga, które nosimy w sobie.

*A gdy był jeszcze daleko,*
*ujrzał go jego ojciec i wzruszył się głęboko;*
*wybiegł naprzeciw niego,*
*rzucił mu się na szyję i ucałował go.*
(Łk 15, 20)

Trzeci etap drogi

# Jestem dzieckiem Ojca. Uzdrowienie duszy

## Słowo Boże i nasze uzdrowienie

Słowo Boże ma nas poprowadzić do poznania prawdziwego obrazu siebie. Będziemy pytali o własny obraz w świetle słowa Bożego, a więc o wartość, jaką mamy w oczach Boga. Kim dla Niego jesteśmy?

Jaką drogą będziemy podążali? Drogą prowadzącą do uzdrowienia naszego obrazu Boga i do uwolnienia go z wykrzywień i zafałszowań nagromadzonych przez całe nasze życie. Poprzez różne doświadczenia odkształcamy w sobie rzeczywisty obraz Boga, według którego On sam nas ukształtował. Rodzą się w nas iluzje, które zniekształcają ten prawdziwy obraz. Wtedy nie jesteśmy w stanie patrzeć na siebie w prawdzie. Oto dlaczego tak ważne jest poznawanie prawdziwego obrazu Boga: ponieważ jesteśmy Jego obrazem i podobieństwem (por. Rdz 1, 26). Chodzi oczywiście o poznanie, które prowadzi do osobowego doświadczenia Boga, które sprawia, że pragniemy przylgnąć do Niego całym umysłem, sercem i wolą.

Na obecnym etapie naszej drogi powinniśmy uświadomić sobie, że tak traktujemy siebie, jakie mamy o sobie wyobrażenie. Nie rodzimy się ze świadomością własnej wartości. Odkrywamy ją z biegiem lat. Świadomość siebie kształtuje się w nas w ciągu całego życia, pod wpływem różnych przeżyć, sytuacji i relacji z innymi. Na nasz stosunek do siebie mają wpływ codzienne wydarzenia, ludzkie gesty itp.

## Uzdrawiają nas oczy Boga

Obraz nas samych będzie kształtował się w nas albo pod wpływem ludzkich słów, które nierzadko są powierzchowne, a nawet raniące i niszczące, albo przez słowo Boga.

Kiedy próbujemy poznawać siebie w świetle Bożego słowa, uczymy się patrzeć na siebie Jego oczami; pragnąć siebie pragnieniami Boga; myśleć o sobie myślami Boga; kochać siebie miłością Boga. On sam uczy nas poznawać siebie i kształtuje w nas prawdziwy obraz. Warto w tym momencie przypomnieć słowa papieża Jana Pawła II: „Człowiek, który chce zrozumieć siebie do końca – nie wedle jakichś tylko doraźnych, częściowych, czasem powierzchownych, a nawet pozornych kryteriów i miar swojej własnej istoty – musi ze swoim niepokojem, niepewnością, a także słabością i grzesznością, ze swoim życiem i śmiercią, przybliżyć się do Chrystusa. Musi niejako w Niego wejść z sobą samym..."[22] Właśnie tą drogą chcemy teraz pójść.

---

[22] Jan Paweł II, Encyklika *Redemptor hominis*, 10.

## Przyznać się do choroby duszy

Zanim to jednak uczynimy, musimy przyznać, że *nasz obraz Boga i siebie jest bardziej lub mniej zafałszowany* wskutek naszej grzesznej natury i niedoskonałości innych; zwłaszcza najbliższych. Trzeba tutaj powiedzieć o zniekształceniu w trzech sferach naszego życia: *w sferze moralnej (wolność), w sferze intelektualnej (pamięć) i w sferze emocjonalnej (serce).* To oznacza, że nasze odkrywanie prawdziwego obrazu Boga, a w Nim siebie samych, prowadzić będzie przez etap oczyszczenia, „odgruzowania" naszych nieprawdziwych „ideologii", naszych złych wyobrażeń o Bogu i sobie. Tak jak synowie w przypowieści Jezusa, będziemy uczyli się na nowo drogi do Ojca i drogi do siebie. Musimy jednak już teraz zgodzić się na to, aby słowo Boże mogło zakwestionować nagromadzone w nas w ciągu życia iluzje. Tylko wtedy, gdy pozwolimy mu zburzyć nasze nieprawdziwe myślenie o sobie, będziemy zdolni otworzyć się na wyobrażenie Boga i siebie, jakie sam Bóg dał nam w chwili stworzenia.

Wróćmy do naszej przypowieści i prześledźmy uważnie losy synów. Być może odnajdziemy w nich siebie i naszą drogę do Boga. Spójrzmy na losy młodszego syna, który roztrwonił swój majątek (w. 13) i przeżywa moment zagubienia (w. 14). Cierpiąc głód, jest tak zdesperowany, że traci ostatnie okruchy szacunku do siebie samego.

Gdyby mu dano możliwość, jadałby to, co świnie (por. Łk 15, 16). W tym momencie jesteśmy świadkami najdelikatniejszego i najgłębszego kryzysu młodego człowieka.

W momencie silnej desperacji, gdy dotknął dna swojej nędzy, gdy – rzec można – „ześwinił się", zdobywa się na pierwsze myśli, a potem działania w kierunku poszukiwania uzdrowienia. Być może po raz pierwszy w życiu, jak mówi przypowieść, „zastanowił się" (Łk 15, 17). Po raz pierwszy przyznał się do siebie, do swojej nędzy, do tego, że bez ojca umrze z głodu. W jego życiu wydarzyło się coś niezwykle ważnego – coś, bez czego niemożliwe jest poznanie siebie. O jaki moment chodzi? Jezus mówi, że syn „zastanowił się". W oryginalnym języku tekstu czytamy, że *„przyszedł do siebie"*. Innymi słowy, powrócił do siebie i do własnego wnętrza. Przyszedł do siebie i zobaczył swój wewnętrzny stan. Patrząc na jego wcześniejsze zachowanie, można powiedzieć, że do tej pory żył *poza sobą*. Jego odejście z domu było zdemaskowaniem prawdy o sobie, konsekwencją czegoś, co zaczęło się o wiele wcześniej. Odszedł z domu, to znaczy odszedł od korzeni swego życia, od samego siebie. Żył poza sobą. Nie żył własnym życiem. Odejście do „dalekiej krainy" (por. Łk 15, 13) symbolizuje prawdę o tym, jak bardzo daleko odszedł od siebie, odchodząc od swego ojca.

Nie bez znaczenia jest tutaj fakt, że decyduje się na to w swojej młodości, która jest szczególnym okresem odkrywania siebie i podejmowania pierwszych decyzji. Jego odejście z domu pokazuje, że uciekał w przyszłość, w marzenia, w wyimaginowany świat. To oznacza, że zostawił swój rzeczywisty świat, odszedł od siebie takiego, jakim był. Teraz jednak zastanowił się. Pod wpływem tragicznej sytuacji materialnej i moralnego niepokoju popatrzył na stan swojego wnętrza. Uznał, że jest głodny domowego ciepła, spragniony miłości ojca.

Wpatrując się w młodszego syna, który „zastanowił się" (przyszedł do siebie), odkrywamy ważny etap naszej drogi do poznania siebie. Rozpoczyna się ona od wejścia w siebie i zaakceptowania tego, jakim się jest, całej prawdy o sobie. Niejednokrotnie potrzebujemy bolesnego doświadczenia młodszego syna, aby wreszcie przestać uciekać, przestać grać „twardego", udawać. Aby zedrzeć maskę i zdecydować się na powrót do siebie, trzeba zrezygnować z idealnego wyobrażenia o sobie, z samowystarczalności, ze swojej nieskazitelności. Trzeba nazwać po imieniu swój „głód".

Musimy wyjść z ciemnego tunelu iluzji, która każe mi wierzyć, że swoją wartość i uznanie zbudujemy własnymi rękami. Musimy przekonać się, że już od chwili gdy wyszedłem z Jego „łona", noszę w sobie godność człowieka. Jak syn marnotrawny muszę opuścić „krainę iluzji", w której okłamuję siebie, sądząc, że tyle jestem wart, ile posiadam, ile mam zdolności, na ile inni dobrze o mnie mówią. Te właśnie iluzje, z którymi nie chcemy zerwać, czynią nas nieszczęśliwymi, stają się dla nas źródłem cierpienia i grzechu. W którymś momencie gubimy się i uciekamy w świat, który nigdy nie zastąpi nam Ojca. Przestajemy być dziećmi Ojca, który kocha nas „za darmo", a stajemy się dziećmi świata, który kocha nas jedynie „za coś".

Oddalając się od Ojca, gubimy w sobie poczucie własnej godności, a przesiąkamy mentalnością świata, który wmawia nam, że na miłość trzeba zasłużyć, że trzeba ją sobie zdobyć. Jak młodszy syn, zaczynamy szukać miłości tam, gdzie nie można jej znaleźć: w opinii innych, w inteligencji, w urodzie czy aparycji, w fizycznej tężyźnie i pieniądzach, w zmysłowych obrazach i przygodach. Jak cień chodzi za nami fałszywe przeświadczenie świata, że na wszystko trzeba sobie zasłużyć i zapracować. To prowadzi nas do zawodu i coraz większego głodu miłości. Ale prowadzić może także do złości i agresji wobec samego siebie, do pogardzania sobą, do poniewierania i poniżania siebie. Gotowi jesteśmy uwierzyć, że należą się nam jedynie strąki dla świń.

Ojciec, który pozwolił synowi odejść z domu, uszanował jego wolność i w ten sposób dopuścił do sytuacji, w której syn musiał zaprzepaścić wszystko, co do tej pory było wyznacznikiem jego własnej wartości; aby znalazł się w takim momencie życia, w którym stracił wszystko, w czym widział swoją wielkość. Pozostał mu jedynie obraz ojca, przy którym nigdy niczego mu nie brakowało. Jedyną niezatartą wartością okazał się ojciec, w którym mógł odnaleźć swoją rzeczywistą wartość.

Zaproponujmy sobie dłuższą modlitwę, w której wrócimy do osobistych doświadczeń, podobnych do tych, jakie przeżył młodszy syn. Być może dotkniemy doświadczeń bardzo bolesnych, ale tych, które stały się początkiem odnalezienia siebie, swojej prawdziwej godności.

## Trudny początek uzdrowienia

Jezus przez historię młodszego syna pomaga nam zrozumieć, że droga do poznania siebie prowadzi *od wyzwolenia się z iluzji, do przyjęcia prawdy o sobie, od ucieczki od siebie, do powrotu do siebie.* Doskonale ilustruje ten moment widok wracającego syna. Przedstawia on sytuację człowieka, który przyznaje się do tego, kim jest, i wraca. Droga powrotu często jest daleka. Syn musi wrócić z daleka, ponieważ daleko odszedł od ojca. Nie chodzi jedynie o drogę fizyczną, którą musi pokonać, ale zwłaszcza o drogę, którą musi pokonać w samym sobie. Historia powrotu młodszego syna pokazuje wyraźnie, że ten powrót jest trudnym procesem. Dojrzewa do niego powoli.

W powrocie syna widać zachowanie, które możemy zaobserwować także u nas, kiedy staramy się zachować właściwy obraz siebie. Zauważmy, że z jednej strony uznaje on swoją bezradność i „głód ojca", z drugiej chce sam sobie radzić. Jego słowa przy powitaniu (por. Łk 15, 18-19) zdradzają, że wraca z bagażem bardzo trudnych doświadczeń, które zepchnęły go na margines myślenia o sobie i odebrały wiarę w to, że ma prawo wrócić do ojca jako jego syn. W tym zachowaniu ukryta jest pewna forma pychy. Marnotrawny syn nie potrafi zaakceptować siebie do końca. Jest w nim agresja wobec samego siebie. Nie pozwala sobie na to, aby po tym, co zrobił, czuł się nadal synem. Nie potrafi sobie przebaczyć. Co prawda już rozpoczął powrotną drogę do ojca, ale razem z nim wraca także jego zaniżone poczucie własnej wartości. Wyobraża sobie, że ojciec będzie wymierzał mu sprawiedliwość, że będzie go sądził. Takie wyobrażenie nie pozwala mu zobaczyć siebie jako syna. Taki obraz ojca sprawia, że widzi siebie co najwyżej jako jego najemnika, a więc kogoś, kto będzie musiał na wszystko zapracować. Nie potrafi przyjąć siebie takim, jakim naprawdę jest w oczach ojca, ponieważ jeszcze nie odkrył Jego „twarzy". Jeszcze nie zobaczył w niej miłości.

Błądzący młodszy syn przypomina nam ważną prawdę o naszym duchowym życiu: ilekroć usiłujemy odnaleźć naszą godność w korzystnych rachunkach wynikających z naszego poprawnego życia, tylekroć będziemy ciągle w naszych oczach najemnikami, niegodnymi nazywać się synami Boga. Tymczasem być godnym nie oznacza mieć nieskazitelną kartotekę, lecz powierzyć się Temu, który nas kocha od założenia świata[23]. Muszę często sobie powtarzać: moja samoakceptacja nie jest oparta na moich zasługach, ona jest oparta na słowie Bożym skierowanym do mnie, na tym, że Bóg mnie akceptuje. Ta akceptacja przez Boga powoduje, że samoakceptacja staje się możliwa. Jest ona owocem Bożego miłosierdzia[24].

## Odnalezienie siebie w ramionach Ojca

Dochodzimy do samego sedna przypowieści Jezusa. Oto widzimy powracającego syna, którego decyzja o powrocie do ojca ma decydujące znaczenie dla jego dalszego życia. Podczas tej drogi toczy się walka o zaufanie do ojca. Jest to właściwie zaledwie namiastka zaufania zmieszana z egoistyczną kalkulacją opłacalności w krytycznej sytuacji (por. Łk 15, 17). Ważne jest, aby to zaufanie do ojca nie zostało zduszone przez doświadczenie psychicznego i moralnego zranienia. Grzech potrafi tak bardzo zranić, że człowiek staje się zdolny do uśmiercenia w sobie zaufania wobec Boga. W takim znaczeniu trzeba powiedzieć, że istnieje tylko jeden grzech, który uniemożliwia powrót do ojca i zamyka człowieka w jego wstydzie i bólu. Tym

---

[23] Por. J. Neuner, *W drodze z Chrystusem*, Kraków 1992, s. 81.

[24] J. Mc Manus, *Uzdrowienie w Duchu Świętym*, Kraków 1997, s. 63.

grzechem jest brak zaufania Bogu[25]. Wtedy bowiem pozbawia się możliwości powrotu do domu Ojca. Pozbawia się bliskości Boga i Jego łaski. Widok powracającego syna jest pytaniem o nasze powroty, o nasze zaufanie do Boga.

Jesteśmy ciągle na pierwszym etapie drogi do poznania siebie. *Dochodzimy do momentu kulminacyjnego tej fazy rozważań.* Doskonale obrazuje ją scena: syn w ramionach ojca. Ten moment rozważań powinniśmy rozpocząć od nasycenia się na modlitwie obrazem dziecka w ramionach ojca. Bardzo potrzebujemy tej sceny. Żyjemy w świecie, który wszczepia w nas obraz dziecka bez ojca, bez jego czułych ramion, bez ojca, który potrafi przytulić. Dajmy więc sobie dużo czasu na wyobrażanie obrazu ojca tulącego odzyskane dziecko. Może nam w tym znowu pomóc obraz Rembrandta. Malarz prawie jak znakomity teolog i egzegeta uchwycił ważny szczegół opowiadania Jezusa. *Głowa syna jest wtulona w łono ojca. Odpoczywa.* Jezus przywołuje obraz dziecka, które wraca do łona swego ojca, do źródła swego pochodzenia, z którego wyszedł i które wyraża najgłębsze pragnienia i wzruszenie ojca. Ciepło ojcowskiego łona i ramion, które go tulą, pozwala mu się przekonać, że od samego początku był synem oczekiwanym, upragnionym i kochanym. Dopiero teraz, gdy do-

---

[25] W. Giertych, *Tajemnica Ojca*, w: A. Foltańska, T. Huk (red.), *Krzywda i przebaczenie*, Kraków 1997, s. 47.

świadcza miłości ojca, który przyjmuje go takim, jaki jest, poczuje się zdolny do zaakceptowania samego siebie.

W ramionach ojca, wtulony w jego łono, odnajduje najważniejszą swoją wartość. Odkrywa, że jest dzieckiem. Nie potrafi już być „twardy", nie chce być taki. Czuje się dzieckiem. Doświadczenie swojego dziecięctwa pozwala mu przyjąć własną małość i grzeszność. Wie, że jest grzesznikiem, ale nie grzesznikiem odepchniętym, lecz przyjętym, któremu przebaczono. Dochodzimy w tym momencie do bardzo ważnego etapu poznawania siebie. Prowadzi nas on przez intymne i osobowe spotkanie z Bogiem, który na nasz widok głęboko się wzrusza. Odkrywając Boga jako Ojca, odkrywamy jednocześnie najgłębszy wymiar naszego życia. W oczach Boga możemy oglądać całe piękno naszej duszy otrzymanej w chwili stworzenia. Jest to piękno duszy *umiłowanego dziecka*. W ten sposób odkrywamy siebie i swoją godność. Odkrywamy istotę naszego powołania: *jesteśmy dziećmi Boga Ojca.*

Poznanie siebie jako dziecka Boga rodzi ważne konsekwencje dla naszego życia, które jest teraz całkowitym przeciwieństwem życia człowieka „twardego". Jako dzieci Ojca zaczynamy widzieć siebie i nasze życie w sposób prosty. Znajdujemy się w stanie wewnętrznego bezpieczeństwa – jako osoby bezgranicznie miłowane. Doświadczenie miłości Boga Ojca prowadzi nas do doświadczenia własnego dziecięctwa, które uzdrawia naszą duszę i przemienia obraz naszego życia. Stajemy się podobni do dziecka wtulonego w łono ojca, obejmowanego jego ramionami. Jesteśmy wówczas najbardziej „u siebie". Odnajdujemy siebie i własny obraz dziecka. Potrafimy cieszyć się sobą i podziwiać w sobie dzieło Jego rąk. Wtuleni w Jego łono, modlimy się i dziwimy jak dziecko:

> Ty bowiem utworzyłeś moje nerki,
> Ty utkałeś mnie w łonie mej matki.
> Dziękuję Ci, że mnie stworzyłeś tak cudownie,
> Godne podziwu są Twoje dzieła.
>
> (Ps 139, 13-14)

## Rozpoznać siebie w obrazie Ojca

W Jego ramionach widzimy siebie najgłębiej. Rozpoznajemy korzenie naszej godności. Odkrywamy, że cała wartość naszego życia zawiera się w tym, że On nas zapragnął jeszcze przed założeniem świata i nieustannie pragnie. Odkrywamy, że jesteśmy darem Jego miłości i że wszystko mamy od Niego. On nas zrodził. On jest naszym Stworzycielem. Nigdy nie przestaje mnie miłować, nawet wtedy, gdy daleko odchodzę. Ilekroć wracam do Niego, spotykam w Nim zawsze tę samą miłość i radość z mojego powrotu. To wszystko przypomina mi, jak bezinteresownie jestem miłowany. A to oznacza, że nie muszę żebrać o miłość. Muszę ją jedynie codziennie w sobie odnajdywać, dostrzegać i kontemplować w świetle Bożego słowa. Kiedyś Bóg wypowiedział nad nami swoje słowo, które nas stworzyło i uczyniło Jego dziećmi.

Ilekroć odkrywamy słowo Boga, nasycamy się nim i modlimy, tylekroć doświadczamy, że jesteśmy drodzy w Jego oczach i że On nas miłuje. Bardzo potrzebujemy Jego słowa, aby oczyszczało nas z ludzkiego patrzenia na siebie, ze słowa, którym zniewala nas świat. A świat mówi: „Tak, kocham cię, jeśli dobrze wyglądasz, jesteś inteligentny i bogaty. Kocham cię, jeśli masz dobre wykształcenie, dobrą pracę i znajomości. Kocham cię, jeśli dużo produkujesz, dużo sprzedajesz i dużo kupujesz”[26]. Ojciec uczy nas miłości bez niekończących się warunków. Pragnie, abyśmy przestali kochać siebie „za coś” i przyjęli Jego bezwarunkową miłość.

Kontemplując Boga Ojca, doświadczam, że jestem dzieckiem oczekiwanym i wyglądanym. Bóg nigdy nie przestaje na mnie czekać, nawet gdy ranię Go swoją arogancją i obojętnością. Nie mam prawa siebie wydziedziczać i odrzucać. Mogę mówić do siebie każdego poranka, że jestem Jego dzieckiem i że codziennie na mnie czeka. Nie muszę przy tym sprawiać na Nim dobrego wrażenia, przygotowywać usprawiedliwiającej mowy, nie muszę jak najemnik zarabiać na Jego miłość

[26] H. Nouwen, *Powrót*, dz. cyt., s. 49.

albo budować swojej świętości własnymi rękami. To Jego miłość nieustannie kształtuje moje życie, i tylko On może uczynić je świętym i pięknym.

Skoro jest moim Ojcem, nie muszę niczego przed Nim ukrywać, nie muszę też ukrywać siebie przed sobą samym. Zrozumiał to św. Augustyn, modląc się do Boga słowami: „Przed Tobą, o Panie, otwiera się przepaść ludzkiego sumienia. Cóż może się ukryć przed Tobą, nawet gdybym tego nie wyznał wobec Ciebie? Ukryłbym Ciebie przede mną, nie mnie przed Tobą".

Jeśli Bóg jest dla mnie Ojcem, to zamiast komplikować sobie życie niezdrową ambicją perfekcjonisty, zamiast prowadzić nieustanną walkę o to, „co mi się należy", zamiast zazdrościć i w nieskończoność narzekać, mogę dziękować za wszystko i cieszyć się jak dziecko nawet z drobiazgów.

Nie mamy wątpliwości, że w samym centrum przypowieści Jezusa jest Ojciec. Jezus pragnie objawić nam Ojca, abyśmy w Nim odnaleźli piękno naszej duszy – duszy dziecka. Tak naprawdę każdy szczegół przypowieści odsłania Ojca i Jego prawdziwe oblicze, którego nie zna nikt, tylko Syn i ten, komu Syn zechce objawić. Kiedy Jezus opowiada o młodszym synu, który żąda swojej części majątku i odchodzi z domu, to przede wszystkim opowiada o ojcu, który milczy, nie przymusza go do niczego i cierpi z powodu jego odejścia. Kiedy opowiada o synu marnotrawnym, opowiada o ojcu, który czeka z ramionami zawsze gotowymi, by przyjąć i błogosławić. Kiedy opowiada o dziecku, które wraca, opowiada o ojcu, który spragniony spotkania z synem codziennie go wygląda. Pierwszy wybiega mu naprzeciw, rzuca mu się na szyję i całuje. Podobnie jest w Ewangelii. Cała Dobra Nowina jest Nowiną o dobrym Ojcu. Słuchając Jezusa, który mówi nam o Ojcu, słyszymy, jak mówi o nas samych. Jezus przychodzi na świat jako Jedyne Dziecko Ojca, pierworodny spośród całego stworzenia, aby objawić nam miłość Ojca do dziecka. Kiedy nad Jezusem rozlega się głos z nieba: „Ty jesteś mój Syn umiłowany, w tobie mam upodobanie" (Mk 1, 11), rozlega się głos nad każdym z nas. Bóg powtarza nasze imię, które wypowiedział nad nami, gdy nas stwarzał. To słowo pozostaje wieczne. Wieczna jest nasza godność dziecka Bożego. Jezus, Umiłowane Dziecko Ojca, opowiada nam przypowieść o miłości Ojca do nas. Opowiada o naszej godności, którą możemy w sobie odkrywać, im bardziej odkrywamy w sobie miłość Ojca. Jezus pragnie, abyśmy poznali Ojca, jak On sam Go poznaje, abyśmy mogli powiedzieć za Nim: „Ja jestem w Ojcu, a Ojciec we Mnie" (J 14, 10). I dlatego modli się za nas do Ojca: „To jest życie wieczne, aby poznali Ciebie, jedynego i prawdziwego Boga, oraz tego, którego posłałeś, Jezusa Chrystusa" (J 17, 3). Musimy uczyć się wyglądać Go w naszym sercu, pamiętając, że On nas ciągle wygląda pierwszy i że cierpi, kiedy nie wracamy. Nie powinniśmy zwlekać, pamiętając, że Jego oczy, jak na obrazie Rembrandta, są zmęczone ciągłym wypatrywaniem. Chciejmy włączyć w modlitwę Jezusa, która przemienia nas w dzieci, słowa: „Abba, Ojcze" (Tatusiu).

*Moje dziecko,*
*ty zawsze jesteś przy mnie*
*i wszystko moje do ciebie należy.*
(Łk 15, 31)

Czwarty etap drogi

# Żyję w rękach Boga. Uzdrowienie pamięci

## Od uzdrowienia duszy do uzdrowienia pamięci

Zmierzamy do odkrycia naszego prawdziwego obrazu w świetle słowa Bożego. To jest cel naszej drogi, którą podejmujemy. Podejmujemy ją ze światłem słowa Bożego w ręku, ponieważ nie przejdziemy dobrze tej drogi, jeśli nie przemodlimy słowa, które nas prowadzi. Przypowieść Jezusa jest dla nas zaproszeniem do słuchania na modlitwie.

Powiedzieliśmy sobie, że pierwszym etapem tej drogi, którego nie można pominąć, jest przyjęcie siebie, zaakceptowanie własnej osoby z naszą małością i grzesznością. Jesteśmy zdolni do tego kroku dopiero wtedy, gdy czujemy się przyjęci przez Boga, gdy czujemy się dziećmi w Jego ramionach, które obejmują nas zawsze z tą samą miłością. Można powiedzieć, że w ramionach Boga Ojca stajemy się wolni. Kiedy czujemy się przyjęci przez Boga, wówczas uwalniamy się od tego, co nas do tej pory paraliżowało – od obsesji bycia wielkim w oczach własnych i innych. Gdy doświadczamy dogłębnie, że posiadamy wartość w oczach Boga, stajemy się wolni od przymusu zarabiania na swoją wielkość. Można powiedzieć, że Bóg czyni nas zdolnymi do przyjęcia siebie takimi, jacy jesteśmy. W ten sposób uzdrawia naszą wolę. Przestajemy polegać na sobie i czepiać się pozorów, a zaczynamy polegać na Bogu. Jest to przełomowy moment na drodze dalszego poznawania siebie.

Kiedy „wstępuje w nas na nowo" dusza dziecka, kiedy powracamy do łona Ojca, zaczynamy patrzeć na nasze życie jak umiłowane dziecko, w którym Ojciec ma upodobanie. Patrzymy na siebie i innych oczami dziecka: z prostotą i ufnością. W ramionach Ojca jesteśmy leczeni z naszej duchowej sklerozy, w której zapominaliśmy, kim jesteśmy naprawdę. Rodzimy się na nowo. „Nowa dusza" kształtuje w nas nową pamięć. Ale też może stać się odwrotnie. Chora pamięć może wywoływać na nowo chorobę duszy. Może odzierać nas z duszy dziecka. Musimy wejść do naszej pamięci. Jest to nowy etap naszej drogi poznawania i uzdrowienia własnego obrazu. Uzdrowienie naszej duszy powinno prowadzić nas do uzdrowienia naszej pamięci.

## Znaczenie i siła pamięci

Musimy wejść na drogę uzdrowienia naszego zafałszowanego obrazu siebie, jaki może tkwić w naszej pamięci. Pamięć jest niezwykłą siłą naszego życia. Żyje w niej cała nasza przeszłość, która pozytywnie lub negatywnie oddziałuje na naszą teraźniejszość. Może zamazać w nas obraz dziecka. Szczególnie silne oddziaływanie na nasz obraz siebie ma pamięć afektywna. Potwierdzają to również badania psychologiczne[27]. Sprawia ona, że znaczące przeżycia lub wydarzenia z naszego życia, zwłaszcza z okresu dzieciństwa, pozostawiają w naszej psychice silny ślad emocjonalny. Ślad ten wzbudza w nas reakcje uczuciowe w sytuacji podobnej do przeżyć z przeszłości. Możemy używać swej pamięci jako magazynu pięknych doświadczeń, które wzmacniają poczucie naszej wartości. Możemy jednak używać jej jako przechowalni gorzkich wspomnień, pretensji, złości i urazów. Możemy je pielęgnować w sobie i traktować jak powietrze niezbędne do życia, które zatruwało będzie naszą duszę dziecka. Nasza dusza żyje bardzo blisko naszej pamięci. Karmi się naszą pamięcią, w której tętni życie przeszłe i teraźniejsze.

Doskonale obrazuje to zachowanie marnotrawnego syna. Wracając do ojca, nie może uwolnić się od swojej przeszłości. To, co pamięta, każe mu powtarzać w drodze do ojca: „już nie jestem godzien nazywać się twoim synem" (Łk 15, 19). Nawet gdy już znajduje się w ramionach ojca, nadal wspomina przeszłość, która mu ciąży i każe powtarzać: „już nie jestem godzien nazywać się twoim synem". Nie potrafi także uwolnić się od sposobu patrzenia

---

[27] Zob. badania M. Arnold za: A. Cencini, *Będziesz miłował Pana Boga swego. Psychologia spotkania z Bogiem*, Kraków 1995, s. 135.

na własne życie. Zdradzają to jego dalsze słowa, którymi chce przywitać ojca: „uczyń mię choćby jednym z najemników" (Łk 15, 19). W jego pamięci żyje ta sama troska, z którą odchodził z domu. Nadal nie ma żadnej koncepcji własnego życia. Myśli, jak przedtem, jedynie o materialnym zabezpieczeniu. Nie chce prosić nawet o to, aby być sługą, co włączyłoby go do rodziny. Chce prosić o takie warunki, które zapewnią mu pod dostatkiem chleba (por. Łk 15, 17)[282].

Zachowanie młodszego syna pokazuje, jak silna jest w nas pamięć i jak mocno potrafi wpływać na nasz obraz siebie i nasze życie. Także postawa starszego syna obrazuje silny wpływ pamięci na nasze życie. Nie może on zapomnieć bratu tego, co zrobił. Nie potrafi uwolnić się od krzywdy, którą brat wyrządził jemu i ojcu, odchodząc z domu z częścią majątku i trwoniąc wszystko. Jego słowa skierowane do ojca ujawniają ogrom złości i gniewu, który rozlewa się już nie tylko na brata, ale także na ojca. Jego rozżalenie nie pozwala mu zaakceptować powrotu młodszego brata, nie pozwala dostrzec i zrozumieć dobroci ojca. Zła pamięć ropieje w nim jak rana i wywołuje ból. Ten ból zamknął go na ojca, dom, brata i na radość życia: „rozgniewał się i nie chciał wejść" (Łk 15, 28).

Zatrzymajmy się razem z Jezusem przy obydwu braciach. Zapytajmy siebie: Czy pamięć o naszej

---

[28] Por. R. Pindel, *Radość ojca z powrotu syna*, w: „Zeszyty Formacji Duchowej", nr 11, Kraków 1999, s. 13.

przeszłości nie przeszkadza nam cieszyć się życiem i zamyka nas na innych? Czy w naszej pamięci nie ma spraw, wydarzeń, z którymi do tej pory nie potrafimy się pogodzić? Czy nie ma w nas smutku młodszego syna, który nie pozwala nam przeczuwać miłości Boga, który zabija w nas poczucie godności. Czy nie żyje w nas pielęgnowany ból starszego syna, z którego nie potrafimy lub nie chcemy zrezygnować? Innymi słowy, czy nie ma jakiś ran lub urazów w naszej pamięci, które nie pozwalają nam patrzeć na Boga, na siebie lub na innych w sposób wolny i prosty? Musimy docenić rolę i siłę naszej pamięci.

Całe nasze życie, dzień po dniu magazynujemy w naszej pamięci. Święty Jan od Krzyża twierdzi wręcz, że większość zła, jakie szatan sprowadza na duszę, ma swoje źródło w wiedzy i wyobrażeniach naszej pamięci[293]. Jeśli nasza pamięć jest obarczona nieuzdrowionymi wspomnieniami, przeżyciami, nasz obraz Boga, siebie i innych nie będzie czytelny, nasze poznawanie będzie zafałszowane. Pamięć potrzebuje więc uzdrowienia. Chodzi tutaj o podwójne uzdrowienie pamięci. Co to znaczy? Zrozumiemy to lepiej, przyglądając się ponownie historii dwóch synów.

---

[29] Por. Św. Jan od Krzyża, *Droga na Górę Karmel*, III, 4.

## Uzdrowienie z „niepamięci"

Przyjrzyjmy się starszemu synowi. Popatrzmy, jak chora pamięć nie pozwala mu normalnie funkcjonować. Nie pozwala nawiązywać właściwych relacji z ojcem i bratem. Otóż starszy syn jest w pewnym sensie typem intelektualisty. (Niekoniecznie intelektualistą musi być ten, kto posiada wysoki współczynnik inteligencji.) Intelektualizacja życia może się stać jednym ze sposobów na utrzymanie oschłych relacji ze sobą, z Bogiem i z innymi.

Starszy syn przypomina nam ten rodzaj człowieka, który boi się bliższych więzi. Nie rozwinął w sobie dostatecznie właściwej zdolności kochania. Woli pozostać racjonalistą. Redukuje wszystko do własnych pojęć i do ustalonej z góry logiki życia. Dla niego wszystko jest jasne. Być wiernym synem oznacza wiernie wywiązywać się ze swoich zadań. Budować własnymi rękami obraz człowieka bez zarzutu. Między innymi dlatego nie potrafi zrozumieć młodszego brata, który zaczyna chodzić swoimi drogami, błądzić i gubić się. Dla niego życie ma z góry ustaloną formułę. Ściska je mocno w swoich dłoniach i zabezpiecza zewsząd, trzymając wszystko pod swoją kontrolą. Również ojciec jest jednym z jego zabezpieczeń. Wszystko bierze na „rozum". Chociaż dużo pracuje dla domu, serce ma zimne. Kiedy w domu panuje radość z odzyskanego syna, on nie potrafi dzielić tego uczucia. Izoluje się. Nie potrafi wejść do środka takiego domu. Pozostaje „na zewnątrz” z własnymi zasadami i z własnym gniewem. Ojciec nie chce, aby pozostał w tym wszystkim sam. Wychodzi na zewnątrz. Chce wejść w to, co przeżywa jego starszy syn. Próbuje obudzić go z jego intelektualnej iluzji. Mówi do niego: „Moje dziecko, ty zawsze jesteś przy mnie i wszystko moje do ciebie należy” (Łk 15, 31). Chce zrzucić łuski z jego oczu, aby głębiej spojrzał na swoje życie.

Zatrzymajmy się na słowach ojca. Zauważmy, że odwołuje się on do doświadczeń przeszłości, do wspomnień syna. *Uczy go na nowo pamiętać przeszłość,* aby potrafił odwołać się do swoich wspomnień, do spotkań z ojcem, do tych chwil, w których doświadczał jego czułości i opieki. Do tej pory bowiem jego zablokowana i źle zakodowana pamięć postrzegała życie w fałszywym wymiarze. Wydawało mu się, że to on był panem swego życia. Teraz słyszy, że jego życie było zawsze w rękach ojca. Jest więc kimś więcej niż tylko sługą czy najemnikiem zarabiającym na swoje utrzymanie i uznanie. Ojciec dał mu życie i codziennie mu je daje z troską i miłością. Teraz prosi go, aby wszedł do domu, aby zobaczył, że żyje w domu ojca, w którym wszystko należy także do niego.

Jakie światło rzuca na nasze życie opowiadanie o starszym synu? Chodzi o uzdrowienie naszej zablokowanej pamięci, która nie pozwala nam zauważać i adorować Boga w szarej codzienności. Jesteśmy zbyt zajęci sobą. Przepracowani nie dostrzegamy, a przynajmniej nie potrafimy cieszyć się tym, że wszystko, co należy do Boga, jest także nasze. Może nawet w to nie wierzymy. Jednym z symptomów chorej pamięci jest brak wdzięczności. Jakby zapadamy na duchową sklerozę. Zapominany, że wszystko ostatecznie jest w rękach Boga, że nic w życiu nie dzieje się bez Jego zezwolenia, że wszystkie włosy na naszej głowie są przez niego policzone, że nic nie dzieje się w naszym życiu bez Jego woli. Jaki ma to związek z naszym obrazem siebie? Otóż taki, że nie potrafimy zobaczyć w sobie człowieka, o którego Bóg codziennie się troszczy, o którym nigdy nie zapomina. To On jest Zbawicielem świata, a nie my. To On jest Panem naszego życia, nie my. Nieraz czujemy się samotni, gdyż sami skazujemy siebie na to poczucie. Bardzo dużo pracujemy, wiele dokonujemy i nie ma w nas radości. Co więcej, czujemy się opuszczeni i gromadzą się w nas pretensje jak u starszego syna.

Bóg codziennie rano, gdy wstajemy, gdy rozpoczynamy nowy dzień, mówi do nas jak do starszego syna: „Moje dziecko, ty zawsze jesteś przy mnie i wszystko moje do ciebie należy" (Łk 15, 31). Jeśli będziemy do niego wracali każdego poranka, będzie mógł leczyć naszą pamięć z duchowej sklerozy, będzie ją oczyszczał, abyśmy zobaczyli naszą codzienność w głębszym wymiarze, abyśmy mogli poznać i doświadczyć, że nasze życie jest w Jego rękach. Kiedy pojawia się w nas wdzięczność i radość z Jego obecności, kiedy dostrzeżemy Jego opatrzność w zwykłych rzeczach, to będzie znak, że nasza pamięć doznaje uzdrowienia, że zdrowe staje się nasze patrzenie na życie. I taki będzie też obraz własnego „ja". Nauczymy się dostrzegać Boga w zmiennych losach wydarzeń. Będziemy widzieli, jak On kieruje naszym życiem, nawet wtedy, gdy będzie się nam wydawało, że Bóg gdzieś „zgubił" plan naszego życia. Będziemy umieli patrzeć na nasze życie jak na historię świętą, w której Bóg nie przestaje działać. Będziemy stawali się ludźmi duchowymi. Słowo Boże będzie uczyło nas wspominać wszystkie Jego dobrodziejstwa. Uwolni naszą duszę od egoistycznych pretensji i rozżalenia. Nauczy nas błogosławić Boga i cieszyć się jak dziecko:

> Błogosław, duszo moja, Pana,
> I całe moje wnętrze – święte imię Jego!
> Błogosław, duszo moja, Pana,
> I nie zapominaj o wszystkich Jego dobrodziejstwach!
> (Ps 103, 1-2)

## Uzdrowienie z urazów pamięci

Jest jeszcze drugi poziom uzdrowienia, którego potrzebuje nasza pamięć. Zrozumiemy to lepiej, patrząc na historię młodszego syna. W ramionach ojca doświadcza on uzdrowienia swojej pamięci ze zranień przeszłości. Ojciec pomaga mu przyjąć siebie razem ze swoją słabością, ale także z całą swoją przeszłością. Do tej pory bowiem czuł się zniewolony wspomnieniami, które swym smutkiem przyćmiewały jego spojrzenie na życie. W historii młodszego syna dotykamy bardzo ważnego i delikatnego momentu – uzdrowienia pamięci z doznanych zranień.

Często nasz obraz siebie jest nieprawdziwy, ponieważ nieuleczona i zafałszowana jest pamięć o całej naszej przeszłości. Chodzimy niepogodzeni z naszą historią. Smutne i pełne goryczy wspomnienia przeszkadzają nam w życiu. Nasza pamięć staje się nierzadko magazynem urazów i bolesnych wspomnień. Często zachowujemy się jak młodszy syn, który – choć postanowił wrócić do ojca, zmienić swoje życie, spojrzeć na nie z nowej perspektywy – czuł się wewnętrznie obciążony, poniżany przez samego siebie, gdyż nosił w sobie niezagojoną pamięć o tym, co się stało.

Nierzadko próbujemy odzyskać zdrową relację z Bogiem i z samym sobą, pielęgnując jednocześnie bolesne wspomnienia, od których nie potrafimy się uwolnić. Sami przed sobą chcemy rozliczyć się ze swojej przeszłości. I ilekroć próbujemy odzyskać nową świadomość siebie i Boga, tylekroć odrzuca nas nasze wnętrze, nieusprawiedliwiony obraz własnego „ja". Czasami tłumimy w sobie wiele bolesnych przeżyć, spychamy je do „piwnic" naszej podświadomości. Innym razem chcemy uwolnić się od przeszłości, starając się zapomnieć o tym, co się wydarzyło. Tymczasem przeszłość pozostanie częścią nas, integralnie związaną z naszym życiem. Doświadczmy tego bardzo wyraźnie w naszym psychicznym i duchowym życiu. Im bardziej chcemy stłumić jakieś bolesne wydarzenie, tym bardziej ono przybiera na sile.

Można powiedzieć, używając obrazu z przypowieści Jezusa, że w naszej pamięci mieszka starszy brat, który przypomina nam nasze bolesne sprawy i nas oskarża. Żyje w nas starszy brat, który mówi: „ty już taki będziesz, już się nie zmienisz; jak możesz jeszcze wracać i patrzeć Bogu prosto w oczy. Nie jesteś godny zbliżać się do Niego". Zauważmy, że jest to największa pokusa, jakiej możemy ulec. Uderza ona w istotę naszej godności, w naszą świadomość umiłowanego dziecka, w którym ojciec ma swoje upodobanie. Żyje w nas starszy syn, który zabrania nam powrotu do Ojca, kusi do zamykania się w sobie, do pozostania „przy świniach", do życia poza Ojcem, w samotności, z nieustanną świadomością zmarnowanego życia, od którego nie ma odwrotu.

Mamy dwa wyjścia z tej sytuacji: albo będziemy samotnie radzić sobie z naszą trudną przeszłością, albo przyjmiemy ją jako integralną część naszego życia. Pierwsze rozwiązanie sprawi, że będziemy tracili energię i radość życia, próbując wyrzucić z naszej pamięci coś, czego nie można wyeliminować. Drugie zaś, że akceptując naszą przeszłość, zaczniemy odczuwać wewnętrzną wolność i nauczymy się także za nią dziękować.

Historia młodszego syna uczy nas, że nie jesteśmy w stanie sami uzdrowić naszej pamięci. Musimy wtulić naszą głowę – jak syn – w łono ojca, w łono Jego miłości i miłosierdzia. Nasza zraniona pamięć potrzebuje łaski uzdrowienia. Musimy o nią prosić. Modlitwa o uzdrowienie naszej pamięci jest istotnym krokiem na drodze do uzdrowienia obrazu samego siebie. Patrzenie na naszą przeszłość oczami Boga sprawia, że uwalniamy się od naszego sposobu myślenia i patrzymy na nasze życie z perspektywy Boga. Słowo Boże uczy nas pamiętać na nowo swoje życie – tak jak pamięta je Ojciec. Tym właśnie jest uzdrowiona pamięć. Zdrowa pamięć nie polega bowiem na tym, by zapomnieć o tym, co w naszej przeszłości było trudne, a pamiętać tylko miłe zdarzenia. Nasza pamięć będzie zdrowa na tyle, na ile zbiega się z pamięcią Boga. Zaczynamy wtedy patrzeć na siebie Jego oczyma, przypominamy sobie Jego działanie. Spostrzegamy, że jesteśmy „dziełem Jego rąk", że jest to przeszłość bardziej Boga niż nasza[30].

Oczywiście proces uzdrowienia naszej pamięci może być długi. Może dokonywać się powoli, na cierpliwej i hojnej modlitwie słowem Bożym. Nieraz jak starzec Symeon będziemy wyczekiwać obiecanej pociechy, i nie wolno nam wątpić, że Duch nie przestaje na nas spoczywać (por. Łk 2,

---

[30] Por. W. Stinissen, *Droga modlitwy wewnętrznej*, Kraków 1996, s. 135-136.

25). Często w naszym duchowym życiu popełniamy błąd polegający na braku cierpliwości. Chcielibyśmy, aby uzdrowienie dokonało się w jednej chwili. W ten sposób chcemy wymusić na sobie uczucie wewnętrznego pokoju i radości, zwłaszcza wtedy, gdy cierpimy, gdy czujemy się jak marnotrawny syn. Jednak nie wolno tego procesu przyśpieszać.

Bóg zawsze zdąża ku nam ze swoją łaską. Do nas należy jedynie zdecydować się na powrót. Ważne jest, abyśmy zdecydowali się wrócić do naszej przeszłości, nie uciekać od niej, nie próbować zapominać, nie tłumić jej. Jeśli będziemy cierpliwie wracali z całym naszym życiem do słowa Bożego, ono będzie nas dotykało w miejscach naszych ran. Będzie nam pokazywało tyle, ile w danym momencie jesteśmy zdolni zobaczyć i unieść. Będzie nas uzdrawiało. Słowo Boże jest jak ramiona i łono ojca z przypowieści. Jeśli pozwolimy, aby nas obejmowało we wszystkim, co niesiemy ze sobą „z dalekiej krainy", przemieni naszą duszę i pamięć. Doświadczymy Ojca, który pamięta całe nasze życie, także nasze odejścia, a mimo to nie przestaje nas kochać. Będziemy jak on pamiętali całe nasze życie i nie przestaniemy siebie kochać.

Znamienne jest zachowanie ojca wobec wracającego syna. Najpierw rzuca mu się na szyję, obejmuje go, a następnie pozwala mu mówić, wypowiedzieć to, co w sobie nosi, od czego nie może się sam uwolnić. Chce, aby wypowiedział swój grzech.

Do nas należy więc pierwsza decyzja: zaprosić Boga do naszej przeszłości, do tych wszystkich miejsc, które nie pozwalają nam patrzeć na siebie i Boga z pełną wolnością. Chodzi o to, aby nasze urazy i zranienia przestały być miejscem cierpienia, a stały się miejscem spotkania z Bogiem, który leczy. Bóg – jedynie On – jest najlepszym „diagnostykiem" i lekarzem. Wie, kiedy i jak odkryć przed nami rany przeszłości. Jedynie On może je uleczyć. To Ojciec, kiedy odchodzimy z domu, posyła za nami swojego Syna, Słowo Wcielone, abyśmy, uciekając w dalekie strony, nie roztrwonili do końca naszego majątku. Posyła nam swego Syna, który w swoim słowie nieustannie przypomina nam o Ojcu, chroni nas przed duchową sklerozą, leczy naszą duszę i pamięć.

Bardzo pięknie opisuje przeżywany przez nas etap drogi Daniel Ange w swojej książeczce *Zraniony Pasterz*. Jest to szczególny moment spotkania zranionego przez życie chłopca Emanuela z Pasterzem – poetycką personifikacją Jezusa:

> [Pasterz] powiedział tonem poważnym, niemal zatroskanym:
>
> – *Jesteś bardziej chory niż myślisz. Zobaczyłem to już wczoraj wieczorem w twoich oczach.*
>
> *Nie mogłem ci tego jednak powiedzieć, bo wpadłbyś w panikę. Teraz nie chcę niczego przed tobą ukrywać. To, co ci dolega, jest poważne. Wiesz, dusza też choruje na raka. Nie zdajesz sobie z niczego sprawy, aż nagle choroba wybucha i toczy do końca.* (...)

*– Chciałbym cię o coś prosić: przejdźmy razem ponownie drogę twego życia...*

– Ależ... co masz na myśli?

*– Pójdź ze mną jeszcze raz wszędzie tam, gdzie żyłeś, gdzie cierpiałeś, gdzie cię skrzywdzono.*

– Zwariowałeś? To wszystko jest już skończone! Po co babrać się w błocie?

*– Emanuelu, wiesz dobrze, że jest wiele miejsc, których tak naprawdę nie pozostawiłeś za sobą. Wiążą cię z nimi łańcuchy ze stali. Nie pozwalają ci one iść dalej twoją drogą, z sercem czystym i wolnym. Zagradzają ci przyszłość.*

– Boję się. Otworzysz rany, przywołasz lęki...

*– Znam te drogi lepiej od ciebie. Nie byłeś jeszcze wtedy ze mną, ale ja już byłem z tobą. Zaufaj, teraz będzie zupełnie inaczej.*

– Ale dlaczego nie przekreślić przeszłości tutaj, teraz, jednym ruchem ręki?

*– Muszę uzdrowić każdą ranę, tam gdzie ją zadano. Zejść do korzeni, aby uleczyć ból, zaradzić złu. Mam swój szczególny sposób uzdrawiania, znam się na tym. Pozwól mi to zrobić.*

– Czuj się jak u siebie!

*– To ja zapraszam cię do ciebie!*[31]

Droga do uzdrowienia obrazu siebie wiedzie przez uzdrowienie naszej pamięci. To chora pamięć sprawia, że zniekształcony staje się nasz obraz Boga i siebie. Albo żyjemy jak „intelektualiści", którzy nie są w stanie dostrzec misterium Boga bliskiego, który ukryty w naszej codzienności nigdy

[31] D. Ange, *Zraniony Pasterz*, Kraków 2002.

nie wypuszcza nas ze swoich rąk, albo poranieni naszą przeszłością, z bólem patrzymy na obraz naszej teraźniejszości i przyszłości. Nie potrafimy sobie przebaczyć, bo nie czujemy się rozgrzeszeni. Żyjemy niepojednani z naszą przeszłością.

Jezus, opowiadając przypowieść, chce nam powiedzieć, abyśmy nie uciekali przed bolesnymi wydarzeniami przeszłości. Przynosi nam słowa Boga Ojca: „Moje dziecko, ty zawsze jesteś przy mnie i wszystko moje do ciebie należy" (Łk 15, 31). Jesteśmy zaproszeni do uzdrowienia naszej pamięci, która pozwoli nam lepiej i głębiej zobaczyć nas samych i nasze życie. Pozwoli nam zobaczyć Boga obecnego we wszystkich wydarzeniach życia. Zdrowa pamięć pomoże nam dostrzec Ojca, który codziennie o nas myśli, tęskni i czeka.

*A trzeba się weselić i cieszyć*
*z tego, że ten brat twój był umarły,*
*a znów ożył, zaginął, a odnalazł się.*
(Łk 15, 32)

Piąty etap drogi

# Jestem przyjacielem Boga. Uzdrowienie serca

## Najgłębsza warstwa naszego „ja”

Wkraczamy na ostatni etap naszej drogi. Słowo Boże z przypowieści Jezusa prowadzi nas do coraz głębszego poznania siebie. Pomaga nam zobaczyć w sobie duszę dziecka. Uczy nas przyjmować siebie tak, jak przyjmuje nas Ojciec. Uczy nas wolności wobec własnej przeszłości, przywraca nam „głęboką” pamięć, dzięki której rozpoznajemy Boga bliskiego i obecnego w codziennych wydarzeniach życia. To wszystko jest w nas owocem doświadczenia leczącej miłości Boga, który działa w nas przez swoje słowo.

Kiedy przyjmujemy siebie z miłością, czując się wewnętrznie wolni i miłowani przez Boga (pomimo i pośród bolesnych wydarzeń naszego życia), wtedy otwiera się w nas nowa przestrzeń. Jesteśmy zdolni rozpoznać w sobie jeszcze jedną cechę. Jest to cecha, która umacnia i pogłębia w nas poczucie własnej wartości. Odkrywamy, że jesteśmy zdolni do głębokiej przyjaźni: do przyjmowania miłości i dzielenia się miłością. Kiedy rodzi się w nas to podwójne doświadczenie, pojawia się także siła i odwaga do przekraczania siebie. Ojciec, który uzdrawia naszą duszę i pamięć, daje nam teraz nowe serce. Sprawia, że potrafimy kochać nawet pośród wewnętrznych oporów i lęków. Już „nie bijemy się" z myślami, nie ukrywamy się przed nimi. Uzdrowiona dusza i pamięć, które pozwalają nam żyć jak dziecku w rękach Boga, czynią nas zdolnymi do przyjęcia własnej kruchości, nierozłącznej części naszego życia.

Bóg daje nam „powiększone serce". Pojawia się w nas doświadczenie miłości. Dzięki niemu potrafimy być silniejsi od naszych oporów, lęków i życiowych zranień. Stajemy się silniejsi od naszych słabości.

Jesteśmy zdolni do takiej postawy, ponieważ na modlitwie słowem Bożym doświadczamy, że jesteśmy kochani bezwarunkowo. Ojciec czyni nas godnymi swojej miłości. Doświadczamy, że mamy swoją wartość w oczach Boga. Doświadczenie to nie jest jedynie doznaniem intelektualnym czy emocjonalnym. Dotyka samej głębi serca. I oto dochodzimy do samej istoty integralnego uzdrowienia obrazu siebie: własnej duszy, umysłu i serca. Kiedy nauczymy się modlić do Boga z całej duszy, całym umysłem i sercem, On przynosi nam nową szatę, sandały i pierścień. Na modlitwie doświadczamy, że Ojciec nigdy nie przestaje na nas czekać, nie męczy się naszymi ciągłymi powrotami. Jest gotów za każdym razem zdejmować z nas łachmany mamy sponiewieranego grzechem dziecka i nakładać na nas najlepszą szatę, by świętować z nami nasze nawrócenie.

Przed nami ostatni etap poznawania siebie: poznanie i uzdrowienie naszego serca. Jest ono istotnym dopełnieniem odbytej do tej pory drogi. Przejście tego etapu często jest procesem długotrwałym. Musimy pozwolić Ojcu dotrzeć do naszego serca, które jest epicentrum naszej samoświadomości, naszego myślenia i odczuwania. Jest miejscem naszych decyzji. W naszym procesie poznawania siebie „warstwę serca" odkrywa się najdłużej. W naszym sercu wiele jest takich miejsc, które z różnych powodów pozostają zakryte nawet przed nami samymi. Nie znamy do końca zamysłów naszego serca. Jeśli dopuścimy do niego słowo Boga, będziemy mogli poznawać w sobie to, co jeszcze jest dla nas niedostępne. Jego słowo zdolne jest osądzić pragnienia i myśli naszego serca. Przed nim wszystko jest odkryte i odsłonięte (por. Hbr 4, 12-13).

## Rozpoznanie choroby serca

Chcemy udać się do naszego serca ze światłem słowa Bożego. Towarzyszy nam Jezus ze swoją przypowieścią o ojcu i dwóch synach. Zwróćmy uwagę na te momenty, w których Jezus pokazuje nam drogę do uzdrowienia serca.

Popatrzmy najpierw na starszego syna. Kiedy słyszy muzykę weselną i dowiaduje się, że ojciec i cały dom razem z nim radują się z powrotu syna, staje przed progiem domu „jak wryty" (por. Łk 15, 25-28). Nie chce wejść do środka. Nie potrafi. Jego serce buntuje się i gniewa. Stan jego serca sprawia, że nie rozumie uczuć ojca i młodszego brata. Nie rozumie, dlaczego ojciec pozwolił mu odejść z domu, a potem, gdy brat roztrwonił majątek, przyjął go. Tym bardziej nie rozumie radości ojca po tym, co się wydarzyło. Nie jest w stanie pojąć, ani zgodzić się na to, co się dzieje. Do tego potrzebne jest zdrowe serce. Serce starszego syna jest opanowane przez gniew, skupione na własnych urazach. Jest w nim wiele pytań, które im bardziej się mnożą, tym większy wywołują w nim bunt i pretensje. Co więcej, swoim gniewem i buntem próbuje zarazić ojca. Najpierw podkreśla – używając bolesnego dla ojca zwrotu „ten syn twój" – że nie chce mieć z nim nic wspólnego. Następnie wyciąga na światło „brudy" swego brata, by zniszczyć go w oczach ojca, pogrzebać w grzechach przeszłości (por. Łk 15, 30).

Jakże mocno kontrastuje zachowanie starszego syna z postawą ojca, który już nie chce wracać do tego, co się stało, który chce, aby wszyscy się z nim radowali, bo odzyskał dziecko. W tej rozmowie dostrzegamy, jak wielka przepaść istnieje między sercem ojca a sercem starszego syna. Chora pamięć starszego syna sprawia, że choruje jego dusza i serce. Izoluje się od ojca, brata i domu. Myśli swoimi „zranionymi uczuciami" i dlatego nie może pojąć zachowania ojca. Możemy się domyślać, jaką burzę pytań wywołują w jego sercu zranione uczucia: Dlaczego ojciec oddał bratu część majątku? Dlaczego pozwolił mu odejść z domu? Dlaczego pozwala mu wrócić? Dlaczego wyprawia dla niego ucztę? Dlaczego...? Mnożą się pytania, które jeszcze bardziej pogrążają serce syna w buncie i pretensjach. Z takim sercem nie może zbliżyć się do ojca, nie może się razem z nim weselić. Pozostaje na zewnątrz. Serce starszego syna jest odległe od serca ojca jak wschód od zachodu.

## Wolność serca początkiem uzdrowienia

To, co starszemu synowi wydaje się „nie do pojęcia", okazuje się pierwszym warunkiem do wejścia na drogę uzdrowienia serca: uwolnienie od stosowania przymusu wobec siebie i innych. Co to znaczy? Miłość bez wolności nie rozwinie się w ludzkim sercu. Ojciec wiedział o tym – i choć cierpiał, widząc odchodzącego syna – nie mógł mu przeszkodzić. Nie mógł zmusić go do pozostania, chociaż wiedział, że dziecko pozbawia siebie największego dobra. Ojciec przypomina nam, że do miłości nie można przymuszać. Nieraz stosujemy subtelne formy przymusu wobec innych i siebie. Manipulujemy ludzkimi uczuciami, sterujemy życiem innych, aby zrealizować nasze egoistyczne zamierzenia. Bóg nie manipuluje człowiekiem. Zdolność do miłości, do ofiary z siebie, do dawania siebie może zrodzić się tylko w wolnym sercu. Jeśli tak wielu ludzi nie odkryło w sobie zdolności obdarowywania miłością, to nie dlatego, że są jej pozbawieni, lecz dlatego, że jest ona stłumiona wewnętrznymi przymusami, własnymi lub tych, którzy przez swój egoizm nimi manipulowali.

Starszy syn z przypowieści Jezusa jest typem człowieka, który kształtuje swoje życie przez przymus i wewnętrzne ograniczenia. W swoim życiu bardziej czuł się najemnikiem niż kochanym dzieckiem. Dusi w sobie potrzebę miłości. Im bardziej ją w sobie tłumi, tym staje się ona silniejsza. Jak bardzo krzyczy o miłość i o potwierdzenie, że jest kochany, pokazuje jego reakcja wobec ojca. Gniewa się i obraża, ponieważ jest skupiony na sobie: „mnie nie dałeś nigdy koźlęcia, żebym się zabawił z przyjaciółmi" (Łk 15, 29). Skupiony na sobie i na swoich pretensjach, nie potrafi doświadczyć tego, co było codziennie w zasięgu jego ręki. Nie potrafi rozpoznać miłującego ojca, a to sprawia, że nie jest w stanie doświadczyć prawdy, że jest kochany, nie potrafi odwzajemnić miłość. Wydaje się, że dopiero ma przed sobą drogę, którą młodszy brat już odbył. Warto się zastanowić, na jakim etapie odkrywania siebie jestem? Czy moja twarz jest twarzą starszego czy młodszego syna? A może dostrzegam u siebie obie twarze?

W ostatnim rozważaniu staramy się dotrzeć do celu naszej drogi, do odkrycia największego piękna, jakie Bóg ukrył we wnętrzu każdego z nas. Jest ono odbiciem piękna samego Boga, który jest Miłością. Dzięki niemu jesteśmy zdolni do nawiązywania relacji miłości z Bogiem, ze sobą i z innymi.

Chciejmy na tym etapie drogi zapytać siebie: Czy dostrzegam w sobie zdolność miłowania? Czy wierzę, że potrafię przyjmować przyjaźń i obdarzać przyjaźnią? Uzdrowienie naszej duszy i pamięci otwiera drogę do uzdrowienia naszych osobowych relacji. Pełne poznanie siebie domaga się uzdrowienia na poziomie serca, uzdrowienia naszych serdecznych relacji z Bogiem i z innymi.

Jezus uczy nas tej drogi poprzez historię młodszego syna. Zwróćmy uwagę na to, jak w całej przypowieści zmienia się obraz jego relacji z ojcem, ze światem i z samym sobą. Widzimy dwie fazy tej zmiany, które bardzo ze sobą kontrastują. Pierwsza faza – negatywna, rozpoczyna się w nim, gdy odchodzi od ojca. Prowadzi go ona do roztrwonienia majątku i kompletnego zagubienia. Druga – pozytywna, rozpoczyna się z chwilą, gdy wraca do ojca i odnajduje siebie w jego ramionach. Dokonuje się w nim głęboki proces: z człowieka zamkniętego w sobie, żyjącego na własny rachunek i zagubionego, przemienia się w człowieka, który potrafi uznać swój grzech, żałować i razem z ojcem świętować i bawić się.

## Pozwolić się kochać

Obraz syna, który w ramionach ojca zmienia się z człowieka „twardego" w dziecko, mówi nam, że kolejnym warunkiem na drodze do uzdrowienia naszego serca i serdecznych relacji z innymi jest *pozwolić się kochać*! Wydawać by się mogło, że ta postawa przychodzi nam najłatwiej. Potrzeba miłości jest w nas najsilniejsza. Tymczasem, jak pokazuje historia starszego syna – z tym uczuciem mamy także niemałe problemy. Można by zadać sobie pytanie, patrząc na synów z przypowieści Jezusa: W jakiej roli jest mi najłatwiej wyobrazić sobie siebie – w roli młodszego syna, który obejmowany przez ojca – tuli się do niego; czy w roli starszego, który stoi przed domem i nie chce wejść do środka? Wielu chrześcijan wierzy, że Bóg jest Miłością, ale nie wszyscy czują się przez Niego kochani. Wielu przyjmuje do wiadomości, że Bóg jest obecny w świecie, ale nie potrafią uwierzyć, że jest obecny w ich życiu. Zadziwiające jest zwierzenie benedyktyna Anselma Grüna, który w jednej ze swoich książek, poruszając zagadnienie relacji z Bogiem, nie wstydzi się przyznać: „Ja sam zauważam, że pomimo mojego rozpisywania się o miłosiernym Bogu, ciągle jeszcze oddziałuje na mnie Bóg wyczynowiec".

Amedeo Cencini, psycholog i kierownik duchowy, dzieli się wynikami badań, które przeprowadził wśród rozmaitych wspólnot osób konsekrowanych (łącznie ok. 700 badanych). Osoby te były pytane o to, jak przeżywają własną grzeszność. Oto niektóre, bardziej znaczące odpowiedzi: „Nigdy nie uważałam, że Pan łatwo przebacza – zawsze konieczna jest skrucha" (60 lat); „Pamięć o grzechach stoi na przeszkodzie moich stosunków z Bogiem" (41 lat); „Czuję, że wybaczono mi, ale nie czuję, że jestem wyzwolona; wyrządzone zło pozostawiło we mnie ślad nie do zmazania" (63 lata); „Mam wrażenie, że jestem jedynie zlepkiem ciężkich grzechów, które nie zostały wybaczone właśnie dlatego, że są ciężkie, liczne, a mój żal z ich powodu nie był szczery" (64 lata); „Wiem, że Pan nas kocha, ale co do siebie nie jestem wcale tego pewna, zważywszy na wszystkie moje braki" (66 lat); „Boję się, że Bóg się już mną zmęczył" (47 lat); „Bóg jest surowym sędzią, muszę walczyć, aby o tym zapomnieć" (46 lat)[321].

Jezus opowiadając o synu wracającym do ojca, zaprasza nas, abyśmy nie lękali się miłości i pozwoli się kochać. Konieczne jest na tym etapie uzdrowienie na poziomie serca. Istnieją osoby, które bez jakiejkolwiek winy z ich strony, być może na skutek problemów i zranień w okresie dzieciństwa, nie potrafią wchodzić w głębsze relacje uczuciowe. Boją się zranienia po raz drugi. Zachowują dystans. Nieraz dają do zrozumienia, że nie potrzebują przyjaźni z drugimi osobami.

Innym razem są to osoby, które, owszem, nawiązują relacje, ale do pewnego stopnia, do momentu aż poczują się zakłopotani uczuciami. Nie potrafią lub boją się głębszej więzi emocjonalnej. Ta sama postawa blokady uczuciowej pojawi się

---

[32] Zob. A. Cencini, *Będziesz miłował...*, dz. cyt., s. 124.

i uaktywni w relacji do Boga i do siebie samego. Osoba taka jest niezdolna do doświadczenia i przyjęcia Jego miłości.

Dojrzałość naszych relacji osobowych nie polega jedynie na gotowości do ofiary, do poświęcenia – jak w przypadku starszego syna. Oznacza także budowanie głębszych relacji, doznawanie i przeżywanie głębokich uczuć, pełnych pokoju i prostoty. Taka postawa jest niezwykle ważna dla zdrowego przeżywania obrazu własnej wartości. Zauważmy, że starszy syn, który służył ojcu z gorliwością (czemu nie zaprzecza ojciec), w głębi serca nie czuje się szczęśliwy. Wprost przeciwnie, jego rozmowa z ojcem zdradza, że w sercu jest bardzo smutny. Jest malkontentem.

Postawa młodszego syna, która pozwala ojcu rzucić się mu na szyję i ucałować go, pokazuje, jak przyjmowana miłość otwiera twarde do tej pory serce. Młodszy syn przypomina nam, że tylko miłość może nas uleczyć. Im bardziej otwieramy się na nią, tym bardziej potrafimy kochać innych. Jednocześnie dojrzałość w budowaniu serdecznych relacji sprawia, że głęboko doświadczamy dobroci Boga i innych. Wtedy potrafimy weselić się jak młodszy syn.

## Uwolnić się od skupienia na sobie

To, jak bardzo oczekujemy miłości, zdradza nasza postawa skupienia na sobie, na tym, co inni mówią o nas, na tym, jak nas traktują, jak się do nas uśmiechają. Prowadzimy „bitwę o siebie", o miejsce w sercu bliskich. Kokietujemy wszystkich, na których miłości nam zależy. Jednym razem próbujemy na nią zapracować i zasłużyć swoim nienagannym zachowaniem, innym razem przybieramy rolę biednych i pokrzywdzonych, aby wzbudzać w bliskich litość lub poczucie winy, że kochają nas za mało. W ten sposób coraz bardziej skupiamy się na sobie i nie dostrzegamy gestów miłości, jakie inni kierują pod naszym adresem. Jak długo pozostajemy skupieni na sobie, tak długo zamykamy się na doświadczenie miłości, które – okazuje się – jest bardzo blisko nas. Nie zauważamy, że żyjemy pod jednym dachem z osobami, dla których wiele znaczymy.

Starszy syn z przypowieści Jezusa jest typowym tego przykładem. Długie już lata żyje pod jednym dachem z ojcem, który codziennie daje mu dowody swojej miłości, a mimo to nie dostrzega, że wszystko, co jest ojca, do niego należy (por. Łk 15, 31). Nie widzi, ponieważ zbyt mocno zajęty jest sobą. Wydaje się dzieckiem szlachetnym, ale jego szlachetność jest chora. Pracuje, poświęca się, służy, ale tak naprawdę zamknięty jest w małym świecie własnego „ja". Ojciec od samego początku wszystko dzieli ze swoim synem, a on ma do niego żal, że nigdy nie doczekał się od niego koźlęcia, aby mógł się zabawić ze swoimi przyjaciółmi (por. Łk 15, 29). Jego młodszy brat, który „był umarły, a znów ożył" (Łk 15, 32), wraca do domu, a on skupiony na sobie wylewa swoje żale. Wszyscy w domu się bawią, a on urażony stoi przed drzwiami i nie chce wejść do środka.

Opowiadając o starszym synu, Jezus opowiada o tych wszystkich dzieciach Boga, które wiele życiowej energii poświęcają trosce o to, by być kochanymi, by nie czuć się odrzuconymi. Zauważmy, że skutki takiej postawy są zupełnie odwrotne. Przyjmując taką postawę, padamy ofiarą zniewolenia przygotowanego „własnymi rękami". Żyjemy według logiki starszego syna. Z jednej strony pozostajemy nieufni i zamykamy się na doświadczenie Bożej miłości. Stosunek do Boga budujemy na bazie obaw i strachu przed surowym i wymagającym Bogiem. Z drugiej strony stan ten rozbudza w nas silną potrzebę akceptacji i kompensacji z powodu przeżywanego braku miłości. Stajemy się uzależnieni pod względem emocjonalnym. Często swoje relacje z innymi przeżywamy jako potrzebę otrzymywania, a nie dawania. Żyjemy w stałym niepokoju i obawie o to, czy jesteśmy kochani. W konsekwencji marnujemy energię na nieustanne zdobywanie przekonania, że jesteśmy kochani. Nie jesteśmy więc w stanie oddać się Bogu i innym. Kieruje nami lęk, by nie być odrzuconym.

Tymczasem, dobrze wiemy, że im bardziej zabiegamy o to, by nas kochano, tym mniej czujemy się kochani. Potrzeba egoistycznego zaspokajania uczucia miłości jest zdradliwa. Nawet jeśli zostanie spełniona, tylko na chwilę poczujemy zaspokojenie swojego głodu miłości. Ta potrzeba stanie się jeszcze bardziej wymagająca i wybuchnie ze zdwojoną siłą zaraz po chwili, w której została zaspokojona. Niezadowolenie i rozczarowanie będą miażdżyły nas jak starszego syna z przypowieści Jezusa.

## Miłość, która leczy serce

Jezus uczy nas, że zaczniemy doświadczać miłości w momencie, w którym zdecydujemy się ją dawać. Przez dawanie siebie nasze serce staje się wolne – jak u marnotrawnego syna. Zdecydował się wrócić i oto doświadcza, że jest kochany. Tak dzieje się również w naszym życiu. Kiedy zdecydujemy się zbliżyć do innych, wtedy doświadczamy życzliwości. Kiedy stajemy się hojni w dawaniu siebie, wówczas potrafimy z prostotą przyjmować dobro od innych. Wolni od przesadnej troski o siebie, czujemy, że wypełnia nas radość. I nie jest bynajmniej tak, że wcześniej nie byliśmy kochani; po prostu nasze serce nie było jeszcze wystarczająco wolne, by to zauważyć.

To samo odkrywamy w naszej relacji do Boga. Zbliżając się do Niego, odkrywamy, że my także potrafimy kochać. Odkrywamy w sobie obraz i podobieństwo Boga. Jeśli będziemy ofiarowywali sobie więcej czasu na kontemplację i adorację Boga, przenikać i nasycać będzie nas Jego miłość. Będzie pogłębiało się w nas doświadczenie przyjaźni. Coraz bardziej będziemy odkrywać, że Bóg stworzył nas jako istoty nie tylko potrzebujące miłości, ale także *jako osoby kochające*. W ten sposób odkrywamy jeszcze jedną cechę, która czyni pięknymi nasze relacje z Bogiem i z innymi ludźmi: już nie tylko widzimy siebie jako dzieci godne miłości Ojca, już nie tylko doświadczamy, że żyjemy w Jego rękach, lecz poznajemy siebie jako dzieci zdolne do odwzajemniania miłości.

Odkrywamy, że Bóg dał nam serce, które jest cząstką Jego serca. Mamy serce, w którym czujemy się miłowani i zaproszeni do miłowania. Doświadczamy głęboko słów Ojca: „Moje dziecko, ty zawsze jesteś przy mnie i wszystko moje do ciebie należy" (Łk 15, 32). Jego słowo, którym dociera do najgłębszych pokładów naszego wnętrza, rozpala w nas pragnienie dzielenia się miłością, które staje się silniejsze od pragnienia otrzymywania jej. Kochając, możemy doświadczyć, jak bardzo ukochał nas Bóg. Im więcej będzie w nas odwagi do tracenia siebie z miłości, tym więcej znajdziemy miłości dla siebie. Kto natomiast będzie chciał zachować swoje życie według własnej logiki kochania, ten niechybnie może je utracić. Jeśli, podobnie jak syn marnotrawny, potrafimy zerwać z szukaniem siebie, wtedy odzyskujemy życie w jego najpiękniejszym wymiarze. Doświadczamy, że jesteśmy kochani i że potrafimy kochać pomimo wszystko. A Ojciec cieszy się i urządza wesele, bo byliśmy umarli, a ożyliśmy, zaginęliśmy, a odnaleźliśmy się (por. Łk 15, 32).

## Powracać do domu Bożego słowa

Kiedy w świetle słowa Bożego nauczymy się patrzeć na siebie oczami Boga, zobaczymy, że wszystko, co uczynił, było bardzo dobre (Rdz 1, 31), i że jesteśmy Mu drodzy, że nabraliśmy wartości w Jego oczach, że On nas miłuje (por. Iz 43, 7). Potrzebujemy nieustannego powrotu do Niego samego, do Jego słowa, aby mógł uzdrawiać naszą duszę, pamięć i serce. Nasze uzdrowienie dokonuje się nieprzerwanie. Całe nasze życie jest ciągłym wracaniem do Ojca i do Jego słowa, które wypowiedział nad nami, gdy nas stwarzał. Raz wracać będziemy jak młodszy syn, innym razem jak starszy. Każdy powrót kosztuje, ponieważ płacimy za nasze odejścia. Ważne jest, abyśmy potrafili wrócić nawet z dalekich stron, abyśmy pozwolili się kochać, aby leczyły nas Jego ramiona, abyśmy nie stali na zewnątrz, ale weszli „do środka", gdzie odnajdziemy Ojca i samych siebie w Nim.

Słowo Boże jest dla nas jak dom, w którym mieszka Ojciec. W nim możemy doświadczyć Jego bliskości i miłości. Tam jest cały nasz majątek, który już dawno nam zapisał. W nim odnajdujemy siebie samych, poznajemy się do końca. Rozważając słowo Boże, widzimy nasze prawdziwe piękno, naszą godność. Jeśli będziemy starali się żyć każdym słowem, które pochodzi z Jego ust, poznamy prawdę o sobie. W słowie jak w domu Ojca doświadczać możemy, że jesteśmy Jego umiłowanymi dziećmi, że żyjemy w Jego rękach, że jesteśmy Jego przyjaciółmi. Pozostajemy ludźmi o różnych twarzach i charakterach, jak dwaj synowie z przypowieści Jezusa, ale nosimy w sobie tajemnicę piękna, która czyni nas bliźniakami: jesteśmy na obraz i podobieństwo tego samego i jedynego Ojca. Ten obraz i podobieństwo są nam dane na wieczność.

*Zbliżali się do Niego wszyscy*
*celnicy i grzesznicy, aby Go słuchać.*
(Łk 15, 1)

Wprowadzenie do modlitwy

# Ojciec, dwaj synowie i ja

## Łk 15, 11-32

## I. Jestem powołany do poznania siebie

- Wsłucham się w słowa Biblii, które mówią o korzeniach mojego zaistnienia. Przeczytam je z miłością do mojego Stwórcy: „Wtedy to Pan Bóg ulepił człowieka z prochu ziemi i tchnął w jego nozdrza tchnienie życia (*nešamach*), wskutek czego stał się człowiek istotą żywą" (Rdz 2, 7).
- Będę prosił Boga, który dał mi życie, o dogłębne przeświadczenie, że jestem Jego stworzeniem, dziełem Jego rąk, Jego obrazem. Stworzył mnie bardzo dobrym. Będę powtarzał powoli, aż do nasycenia wnętrza: „Dziękuję Ci, że mnie stworzyłeś tak cudownie (...) i dobrze znasz moją duszę" (Ps 139, 14).
- Uświadomię sobie, że żyje we mnie tchnienie Boga (*nešamach*). Zwrócę uwagę na oddech w moich piersiach. Pomyślę, że jest on we mnie nieustannym, fizycznym dowodem Bożego tchnienia. Wczuwając się w swój oddech, będę starał się odnaleźć wewnętrzną radość z życia, którego Bóg bez przerwy mi udziela. Będę wzywał Ducha Ożywiciela, aby wypełniał mnie modlitwą uwielbienia. Włączę w modlitwę mój oddech. Będę powtarzał powoli, aż do nasycenia wnętrza: Boże, jesteś moim życiem!

- Bóg tchnął we mnie *nišemach hajjîm* – tchnienie życia. Zatrzymam się dłużej nad głębokim sensem tchnienia życia, które jest we mnie. Będę prosił Ducha Świętego o dogłębne poznanie i przeżycie tej prawdy. Rozważę: Bóg tchnął we mnie życie, to znaczy dał mi zdolność do wewnętrznego poznania siebie, do kierowania sobą, dał mi twórczą wolność. Jestem powołany do poznawania siebie.
- Poznaję siebie głębiej, gdy jestem otwarty na mojego Stwórcę, który tchnie we mnie przez swoje słowo. Tchnienie życia (*nišemat hajjîm*) jest we mnie Lampą Pańską. Przenika głębię mojego wnętrza (por. Prz 20, 27). Będę powoli, wiele razy, powtarzał prośbę, aż doświadczę wewnętrznego otwarcia i uległości: „Zbadaj mnie, Boże, i poznaj me serce" (Ps 139, 23).

## II. Mój obraz siebie, z którym przychodzę na modlitwę

- Zbliżę się do Jezusa, aby słuchać Jego przypowieści o miłosiernym ojcu i dwóch synach (por. Łk 15, 11-32). Uświadomię sobie, że Jezus opowiada w niej o mnie samym i mojej relacji z Ojcem. Poproszę Go, aby przeniknął mnie do głębi światłem swojego słowa. Wpatrując się w oblicze Jezusa, będę powtarzał z miłością: Ty jesteś moją drogą, prawdą i życiem!

- Wsłuchując się w przypowieść Jezusa, skupię się najpierw na tym, co mówi o dwóch synach (Łk 15, 12-13; 25-30). Czy odnajduję w sobie jakieś podobieństwo do młodszego i starszego syna? Jakie fakty z historii życia dwóch synów przypominają mi moje życiowe doświadczenia? W którym z nich najbardziej odnajduję moje zachowania i cechy osobowości? Będę prosił Jezusa o mądrość wewnętrznego rozeznania.
- Zwrócę uwagę na złe samopoczucie synów i wewnętrzne niezadowolenie, które okazują ojcu (Łk 15, 29-30). Co mogę powiedzieć o moim aktualnym stanie ducha? Jakie jest moje wewnętrzne samopoczucie, kiedy myślę o sobie? Co mnie w sobie raduje, a co smuci lub frustruje? Co chciałbym powiedzieć o sobie Bogu? Czy noszę w sobie jakieś żale? Jakie? Do kogo?
- Postaram się wniknąć w doświadczenia młodszego syna, który przeżywa stan wewnętrznego zagubienia. Pragnie wrócić do ojca, mówi: „Zabiorę się i pójdę do mego ojca" (Łk 15, 18). Jezus zaprasza mnie, abym postąpił podobnie. Pragnie, abym zwrócił się do Ojca z tym wszystkim, co jest we mnie obolałe. Chce, abym poznając siebie, skupił się na Ojcu. Jestem zaproszony do wpatrywania się w Ojca. Będę prosił: „Jezu, pokaż mi Ojca" (por. J 14, 8).

## III. Jezus pokazuje mi Ojca

- Jezus przez przypowieść mówi do mnie o swoim najgłębszym pragnieniu: „Pragnę, abyś poznał Ojca". Uświadomię sobie, że dla spełnienia tego pragnienia stał się człowiekiem i oddał za mnie swoje życie. W żarliwej modlitwie zwrócę się do Ducha Świętego o łaskę dogłębnego zjednoczenia z pragnieniem Jezusa. Będę wsłuchiwał się w Jego przypowieść i powtarzał: „Jezu, pragnę poznać Ojca".
- Zatrzymam się na zdaniach, w których Jezus zwraca moją uwagę na zachowanie ojca (Łk 15, 20-24.28.31-32). W obrazach z przypowieści Jezus zaprasza mnie do kontemplowania swojego Ojca. Będę trwał przy każdym z tych obrazów, aż do wewnętrznego nasycenia. Zwrócę uwagę na uczucia, które się we mnie budzą:
  – Ojciec, który spełnia żądanie syna.
  – Ojciec, który pozwala dziecku odejść z domu.
  – Ojciec, który wygląda syna.
  – Ojciec, który wzrusza się głęboko, gdy widzi wracające dziecko.
  – Ojciec, który biegnie do marnotrawnego dziecka.
  – Ojciec, który rzuca się dziecku na szyję i całuje je.
  – Ojciec, który ubiera dziecko w najlepszą szatę, daje mu sandały i pierścień.

– Ojciec, który wyprawia ucztę dla odzyskanego dziecka i zaprasza je do świętowania.
– Ojciec, który wychodzi do zagniewanego dziecka.
– Ojciec, który cierpliwie tłumaczy rozżalonemu dziecku.
– Ojciec, który mówi do syna: „Moje dziecko, wszystko moje do ciebie należy".

- Uświadomię sobie, że w tych wszystkich obrazach Ojciec nieustannie cierpi z powodu odejścia jednego i drugiego dziecka. Moje odejścia zawsze ranią Jego boskie serce. Kiedy odchodzę od Niego, skazuję również siebie na największe cierpienie: odchodzę od siebie, gubię siebie, trwonię swoje życie. Zwrócę się do Jezusa jak do Brata: Nie dopuść, abym ranił Ojca, Ciebie i siebie.
- Będę prosił, aby utrwalił we mnie obraz Ojca i oczyszczał z wszystkiego, co zniekształca we mnie Jego prawdziwe oblicze. Będę dziękował Jezusowi prostymi słowami: „Dziękuję Ci, że pokazujesz mi Ojca".

## IV. Jestem dzieckiem i przyjacielem Ojca

- Uświadomię sobie, że mój prawdziwy obraz Bóg objawił mi na pierwszych stronicach Biblii. Jestem stworzony na obraz i podobieństwo Boga (por. Rdz 1, 26-27). Jestem „odbiciem"

Jego piękna. Będę nasycał się tą prawdą i prosił o łaskę wewnętrznego zadziwienia. Zanurzę się całym sobą w prostej modlitwie, powtarzając: „Boże, jestem Twoim obrazem. Jestem do Ciebie podobny".

- Jezus objawia mi Ojca również po to, abym głębiej poznał samego siebie i odbudował poczucie własnej godności. Będę więc wpatrywał się w Ojca, aby rozpoznać w nim swój prawdziwy obraz i podobieństwo.
- – Bóg jest Ojcem; to znaczy, że ja jestem Jego dzieckiem.
- – Ojciec daje dziecku część majątku i pozwala mu odejść z domu; to znaczy, że stworzył mnie wolnym i nie odbierze mi mojej wolności, nawet wtedy, gdy Go ranię.
- – Ojciec wygląda dziecka; to znaczy, że nigdy nie przestaje o mnie myśleć i tęskni za mną.
- – Ojciec wzrusza się głęboko, gdy dostrzega wracające dziecko; to znaczy, że nabrałem wartości w Jego oczach, że mnie miłuje.
- – Ojciec biegnie do marnotrawnego dziecka; to znaczy, że jestem miłowany przez Ojca miłością po ludzku niezrozumiałą.
- – Ojciec rzuca się wynędzniałemu dziecku na szyję i całuje je; to znaczy, że nigdy się mną nie brzydzi.
- – Ojciec zrzuca z dziecka stare łachmany i ubiera w najlepszą szatę, daje sandały i pierścień; to

znaczy, że przywraca mi godność dziecka, ilekroć wracam do Niego.

- Ojciec wyprawia ucztę dla odzyskanego dziecka i zaprasza do świętowania; to znaczy, że jestem stworzony do przebywania i radowania się z Nim na wieczność.
- Ojciec wychodzi do zagniewanego dziecka i przekonuje je; to znaczy, że zależy Mu bardzo na mnie. Nie chce, aby zbrakło mnie w Jego domu.
- Ojciec mówi do mnie osobiście: „Moje dziecko, ty zawsze jesteś ze mną i wszystko moje do ciebie należy".

- Każdego dnia mogę przylgnąć do jednego z obrazów lub słów Jezusa i trwać w nich. Mogę nasycać nimi serce i prosić Jezusa, aby uzdrawiał mój obraz siebie i uczył patrzeć na siebie Jego oczami.

# Uzdrowienie przez drogę krzyżową

## Medytacje w świetle Łk 15, 11-32

## Wprowadzenie

Każdy z nas zapada na „chorobę sierocą". U jednych ma ona ostry, u innych łagodniejszy przebieg. Raz choroba atakuje nas jak „młodszego", raz jak „starszego syna". Cierpimy, ponieważ nie potrafimy spełnić w sobie największego pragnienia życia: pragnienia Ojca i Jego domu, w którym panuje wieczna miłość i pokój. Z tym pragnieniem poczęliśmy się w łonie matki, z nim nas urodziła. Tęsknimy za Ojcem. Chcemy doświadczać i „smakować" wewnętrznie, że jesteśmy miłowani i że wszystko, co Jego, do nas należy. W Ojcu możemy oglądać nasz prawdziwy obraz i podobieństwo, piękno duszy dziecka. Tymczasem doświadczamy w sobie przedziwnego rozdarcia. Zachowujemy się jakby wbrew największemu pragnieniu. Ufamy, że w domu Ojca jest dla nas przygotowanych wiele mieszkań, a jednocześnie odchodzimy od Ojca. Raz odchodzimy w daleką krainę, „trzaskając drzwiami", innym razem uciekamy w siebie, w pracę, w poprawność i nienaganność budowaną własnymi rękami. Odchodzimy i cierpimy, ponieważ jest w nas „pierworodne zakażenie", punkt zapalny. Grzech sprawia, że pojawia się w nas wiele życiowych ran, że ranimy innych. Nie potrafimy przychodzić z ranami do Ojca. Albo udajemy zdrowych, albo zamykamy się w naszej chorobie.

Ojciec wie, że potrzebujemy uzdrowienia. Chce nas leczyć z „sierocej choroby", w którą wpędza nas nasz grzech. Jest gotów czynić to nieustannie, przez całe nasze życie. Potrzebujemy Jego uzdrowienia. Czeka na nas codziennie, aż wrócimy z dalekiej krainy, aby mógł uzdrowić w nas „młodszego syna". Wychodzi po nas z domu, gdy nie chcemy „wejść do środka", zamknięci w naszym bólu, żalu i pretensjach. Rozmawia z nami, tłumaczy. Chce, abyśmy weszli i zaczęli razem z Nim cieszyć się życiem. Uzdrowić może nas tylko On sam – Jego dom.

Droga krzyżowa jest jak dobra nowina o Ojcu, który walczy o moje życie. Jest jak dobra nowina o Jednorodzonym Dziecku Ojca, Jezusie, naszym Bracie, którego posyła nam Ojciec. Wysyła swoje Jedyne, Ukochane Dziecko – Jezusa, aby przyprowadził nas do Niego. Posyła nam Jezusa, aby nas uzdrawiał. Tak naprawdę, to nie my idziemy Jego drogą krzyżową, ale to On idzie drogą naszej historii życia. Zatrzymuje się przy każdej z naszych ran, przy tych odkrytych i tych zakrytych, na wpółzabliźnionych, ropiejących i krwawiących. Każda stacja drogi krzyżowej mówi o Jezusie, który zatrzymuje się przy naszych ranach życia. Nasze rany „wyznaczają" Mu stacje drogi krzyżowej. Chce się zatrzymać przy każdej życiowej ranie spowodowanej grzechem. Chce się w niej „zanurzyć",

„dotknąć" ją i „objąć" całym sobą – jak wtedy, gdy obejmował krzyż i gdy całym sobą upadł na ziemię z krzyżem. Chce wstawać i brać na siebie nasze choroby, chce uzdrawiać nas swoją miłosierną miłością. On bierze na siebie nasze rany powstałe z powodu naszych grzechów i grzechów innych ludzi. Chce przejść z nami wszystkie miejsca życia, w których choruje nasz prawdziwy obraz siebie, nasze poczucie własnej godności, nasza dusza dziecka, nasza pamięć i nasze serce.

Ilekroć rozpoczynamy drogę krzyżową, przyznajemy, że chorujemy, że potrzebujemy Jego uzdrowienia. Zanim rozpoczniemy drogę z Tym, który pragnie nas uzdrowić, musimy pozwolić Mu, aby zbadał nasz puls: puls naszej duszy, naszej pamięci i naszego serca. Potrzebna jest nam cisza, w której „usłyszymy" tętno naszego życia, nasze tęsknoty, nasze pragnienia i nasze rany zadane przez grzech osobisty i innych. Czy chcę Go dopuścić do siebie, do moich ran – do miejsc, w których czuję się najbardziej bezbronny i kruchy? Czy pozwolę Jezusowi rozpocząć drogę krzyżową w historii mojego życia? Czy pozwolę Mu leczyć moje rany?

## Komentarz wprowadzający

*Na początku, po zapowiedzeniu stacji, będziemy przynosić Jezusowi* ***w postawie oddania*** *nasze życiowe rany. Znakiem tego aktu oddania będzie* *zapalona świeca, którą w naszym imieniu położy na stopniu przed ołtarzem jeden z uczestników rekolekcji. Na końcu drogi krzyżowej, pośród świec symbolizujących nasze rany, położymy znak Jezusa ukrzyżowanego, który wziął na siebie nasze rany. Będzie to nasze wyznanie wiary, że w Jego ranach jest nasze zdrowie. Oddanie Mu naszych ran będzie istotnym momentem podczas medytacji drogi krzyżowej.*

## Stacja I

## **Rana zakłamania i fałszu:** ***Jezus skazany na śmierć***

*Kłaniamy Ci się, Panie Jezu Chryste...*

Jezus pragnie uzdrowić mnie z ran nieprawdy i fałszu. Pozwala się ranić niesprawiedliwym wyrokiem, aby uzdrowić we mnie rany, które fałszują mój prawdziwy obraz Ojca i siebie. Przyjmuje na siebie cierpienie z powodu oskarżenia i fałszu, aby uzdrowić we mnie wszystkie zafałszowane miejsca w obrazie siebie, w obrazie mojego Ojca, wszystkie moje niesprawiedliwe wyroki, którymi ranię Ojca i siebie. Pozwala się sponiewierać fałszywym osądem, abym przestał poniewierać sobą i innymi. Jezus bity po twarzy, opluwany, krwawiący na całym ciele, chce uzdrowić we mnie obraz Ojca, abym odnalazł w Nim swoje rzeczywiste piękno.

*Chwila ciszy...*

Jezu, uzdrów we mnie ranę, która fałszuje mój obraz Ojca i mnie samego. Wróć mi zdrowe myśli, zdrowe uczucia, zdrowe oczy duszy!

*Któryś za nas cierpiał rany...*

Stacja II

## **Rana ucieczki i rozłąki:** ***Jezus bierze na siebie mój krzyż***

*Kłaniamy Ci się, Panie Jezu Chryste...*

Czy kiedykolwiek pomyślałem o tym, że podjęcie śmiertelnej męki było dla Jezusa związane z rozłąką z Ojcem. Jezus bierze na siebie mój największy krzyż. Aby mnie zbawić, musi przeżyć najboleśniejszą rozłąkę – z Ojcem. Chce przeżyć rozłąkę ze swoim Ojcem, aby uzdrowić we mnie ranę, która zawsze będzie zadawała mi najwięcej bólu. Wciela się w moją człowieczą codzienność, w mój „Nazaret", w moją historię życia, aby dotrzeć do ran zadanych z powodu rozłąki, odrzucenia, ucieczek z domu. Chce przeżyć we mnie tęsknotę za Ojcem, aby uzdrowić moje życiowe tęsknoty – i tę największą, za Bogiem.

*Chwila ciszy...*

Jezu, który bierzesz na siebie krzyż, uzdrów mnie z ran zadanych mi przez rozłąki, odrzucenia, ucieczki!

*Któryś za nas cierpiał rany...*

Stacja III

## **Rana pychy i zarozumiałości:** ***Jezus upada pierwszy raz***

*Kłaniamy Ci się, Panie Jezu Chryste...*

Jezus upada pod krzyżem wszędzie tam, gdzie trwoniłem mój „majątek" życia, gdzie żyłem rozrzutnie. Jezus chce przeżyć słabość, kruchość, bezradność, w moich ranach spowodowanych zarozumiałością, życiem na własną rękę. Chce cierpieć w moich ranach „krwawiących" przez pychę. Chce przeżyć słabość i upadek wszędzie tam, gdzie nie chciałem przyznać się do moich słabości, do moich upadków.

*Chwila ciszy...*

Jezu upadający, uzdrów moje rany, które zadałem sobie przez moją pychę i zarozumiałą samowystarczalność. Zdejmij ze mnie moją maskę człowieka twardego i naucz mnie przyznawać się do mojej kruchości!

*Któryś za nas cierpiał rany...*

Stacja IV

## **Rana braku miłości:** ***Jezus spotyka się z Matką***

*Kłaniamy Ci się, Panie Jezu Chryste...*

Jezus pragnie uzdrowić mnie z ran spowodowanych brakiem matczynej miłości. Spotyka się ze swoją Matką, aby uzdrowić zranienia zadane mi w spotkaniach z moją matką, wszystkie zranienia z powodu braku spotkań, a także tych złych spotkań, które kończyły się trzaskaniem drzwiami, obrażaniem się i sterczeniem przed drzwiami domu. Jezus chce, abym kontemplował Jego spotkanie z Maryją, abym się nim nasycał. Chce, aby Jego spotkanie z Matką uwolniło mnie od złych wspomnień, przechowywanych w pamięci pretensji, urazów, gniewu.

W moich ranach zawsze jest Jezus i Ona – Maryja. Są razem. Cierpią i milczą. Cierpią i kochają. Nie opuszczają mnie również wtedy, gdy wybieram ucieczkę od siebie, gdy się zamykam w sobie. Jezus zostawia mi Matkę, aby zawsze była przy mnie i przypominała mi o Jego Ojcu, który ma serce matki, który jak prawdziwa matka oczekuje, tęskni, wzrusza się głęboko, który mówi do mnie: „Ja nigdy nie zapomnę o tobie...".

*Chwila ciszy...*

Jezu, uzdrów mnie, zranionego brakiem miłości!

*Któryś za nas cierpiał rany...*

Stacja V

## Rana osamotnienia:
## *Jezusowi pomaga Szymon z Cyreny*

*Kłaniamy Ci się, Panie Jezus Chryste...*

Jezus przyjmuje pomoc od Cyrenejczyka, aby uzdrowić wszystkie bolesne momenty mojego życia, w których nie potrafiłem przyjąć miłości, odrzuciłem dobroć i pomoc. Odrzucenie miłości pozostawia głęboką ranę, która „krwawi" nieopanowaną potrzebą bycia kochanym. Odrzucanie miłości pozostawia we mnie ranę pustki. Jest to rana, która krzyczy o miłość. Za moją maską twardego, który nie potrzebuje pomocy, kryje się małe dziecko skrycie żebrzące o miłość, gotowe zadowolić się nawet strąkami, odpadkami miłości. Jezus w spotkaniu z Cyrenejczykiem pragnie uzdrowić mnie z mojego osamotnienia, na które skazuję samego siebie. Pragnie uzdrowić moją hardość serca, abym nauczył się przyjmować miłość tak, jak On ją przyjmuje od przypadkowego człowieka.

*Chwila ciszy...*

Jezu, uzdrów we mnie ranę osamotnienia!

*Któryś za nas cierpiał rany...*

Stacja VI

## Rana pod maską udawania: *Weronika ociera Jezusowi twarz*

*Kłaniamy Ci się, Panie Jezu Chryste...*

Są we mnie takie miejsca, które obnażają i zdradzają moje zranienia. Są to miejsca, na których widać je najbardziej: moja twarz, oczy, usta, mój głos. Cierpienia i smutku nie można ukryć. Nie wolno ukrywać. Nie wolno nakładać maski, ponieważ rany robią się jeszcze większe, a kiedyś maski będą zdarte. Trzeba przyznać się do swojej kruchości, jak młodszy syn z przypowieści Jezusa, nie wstydzić się wracać do Ojca w łachmanach, nie ukrywać twarzy w dłoniach, ale wtulić się w ramiona Boga. Twarz Jezusa, zakrwawiona, pełna bólu i pokoju, jest wolna od skrywania i udawania. Przyjmuje chustę Weroniki, pozwala, aby Go otarła, aby obnażyła cały Jego ból i abym patrząc na Niego, uczył się przyznawać do moich ran. Jezus pragnie uzdrowić moje życie z rany maskowania się.

*Chwila ciszy...*

Jezus, poślij mi Weronikę, aby była dla mnie aniołem pocieszenia w strapieniu; aby otarła chustą miejsca najbardziej poranione: moją twarz, moje udawanie, zawstydzenie, skrywaną rozpacz. Jezu, uzdrów mnie z rany udawania!

*Któryś za nas cierpiał rany...*

Stacja VII

## Rana połowiczności i letniości: *Jezus upada drugi raz*

*Kłaniamy Ci się, Panie Jezu Chryste...*

Jezus upada w połowie drogi, aby podźwignąć mnie z mojej połowiczności i letniości. Chce, abym przypatrzył się uważnie, gdzie upada i gdzie leży, abym w ten sposób rozpoznał to miejsce, tę ranę, która powstała we mnie od chwili, gdy zacząłem być połowiczny jak starszy i młodszy syn z przypowieści Jezusa. Upada we wszystkich miejscach moich ran, które rodzi moja połowiczność: połowiczna modlitwa, połowiczna miłość, połowiczne nawrócenie, połowiczne przebaczenie, połowiczna czystość, ubóstwo, posłuszeństwo, połowiczna miłość małżeńska, połowiczna wierność powołaniu. Za każdą połowicznością kryje się mój egoizm. Wracam do Ojca, nieraz z bardzo daleka, jak młodszy syn, ale ciągle myślę o sobie. Wracam do Ojca i zatrzymuję się przed domem, nie chcę wejść dalej, nie chcę być z Nim do końca, ponieważ ciągle myślę najpierw o sobie. Jezus pragnie uzdrowić we mnie wszystkie upadki spowodowane moją połowicznością, moim egoizmem.

*Chwila ciszy...*

Jezu, uzdrów mnie z rany połowiczności i letniości!

*Któryś za nas cierpiał rany...*

## Stacja VIII

**Rana nie wypłakanego bólu:**
***Jezus i płacz niewiast***

*Kłaniamy Ci się, Panie Jezu Chryste...*

Jezus zwraca kobietom uwagę na ich płacz. Uczy je płakać nad sobą – przed Jezusem. Kiedy gromadzi się we mnie ból, kiedy otwierają mi się oczy i widzę swoją biedę, potrzebny jest gorzki płacz nad sobą, nie nad innymi; płacz nad sobą, który nie skupia mnie na sobie, ale jak młodszego syna prowadzi do ramion Ojca. Chce uzdrowić moją duszę, abym potrafił zapłakać nad sobą. Chce wyleczyć mnie z płaczu, który zamyka na Boga, który zamyka mnie w sobie. Jezus przywraca mi płacz dziecka. „Leczy" moje „chore łzy".

*Chwila ciszy...*

Jezu, ulecz moją ranę niewypłakanego bólu!

*Któryś za nas cierpiał rany...*

## Stacja IX

**Rana rozżalenia i złości:**
***Jezus upada trzeci raz***

*Kłaniamy Ci się, Panie Jezu Chryste...*

Jezus upada, aby uzdrowić we mnie niezadowolenie, pretensje, żale starszego syna. Oto boleśniejszy upadek, największa pokusa – zatrzymać się przed drzwiami domu Ojca i nie wejść do środka, nie chcieć cieszyć się razem z Nim. Jezus chce mnie uzdrowić z zatwardziałego gniewu i pretensji, które zamykają moje serce na Boga, na innych i na siebie.

*Chwila ciszy...*

Jezu, uzdrów mnie z rany rozżalenia i złości!

*Któryś za nas cierpiał rany...*

Stacja X

## Rana obnażenia i poniżenia: *Jezus bezbronny – obnażony*

*Kłaniamy Ci się, Panie Jezu Chryste...*

Jezus obnażony z szat pragnie uzdrowić te momenty z historii mojego życia, w których zostałem obnażony z mojej słabości albo obnażałem i poniżałem innych. Pragnie uzdrowić we mnie serce młodszego syna, który w swojej słabości gotów był jadać to, co świnie; chce uzdrowić we mnie serce starszego syna, który nie przestaje wyrzucać grzechu swemu bratu, który go obnaża przed ojcem i nie potrafi mu przebaczyć

*Chwila ciszy...*

Jezu, uzdrów we mnie rany zadane przez obnażenie i poniżenie!

*Któryś za nas cierpiał rany...*

Stacja XI

## Rana przemocy: *Jezus przybijany do krzyża*

*Kłaniamy Ci się, Panie, Jezus Chryste...*

Jezus bezbronny, nagi, omdlały i drżący z bólu – przybijany do krzyża. Najpierw ręce, potem nogi. Całkowicie bezradny. Może jedynie wołać do nieba. Obraz okrutnej przemocy na bezradnym. Jezus raniony przemocą jest ikoną Ojca, który cierpi raniony przemocą swoich dzieci. Jednym razem raniony przemocą młodszego, innym razem starszego: przemocą wobec dobroci, wobec pokory, cichości i cierpliwości. Przemoc za pomocą pretensji, żalów, obojętności. Jezus „ikona Ojca" jest przybijany do krzyża – pozwala na przemoc. Każda rana na Jego ciele mówi o mojej przemocy wobec miłości. Bierze na siebie moją przemoc, zatrzymuje ją na sobie, aby nie raniła innych, aby uzdrowić we mnie to wszystko, co prowadzi mnie do przemocy fizycznej, psychicznej, duchowej.

*Chwila ciszy...*

Jezu, uzdrów mnie z rany przemocy!

*Któryś za nas cierpiał rany...*

Stacja XII

## Rana śmierci:
## *Jezus kona na krzyżu*

*Kłaniamy Ci się, Panie Jezu Chryste...*

Jezus umiera na krzyżu z powodu młodszego i starszego syna. Umiera posłany przez Ojca, aby odnalazł i wrócił życie Jego dzieciom, które się gubią, umierają poza Jego domem, umierają w swoim grzechu odejścia. Jezus konający na krzyżu, osamotniony, wyszydzony, nierozumiany w swojej miłości, mówi mi o Ojcu, który umiera, ilekroć odchodzę od Niego i brnę w grzech. Życie poza Nim jest śmiercią. Umiera za mnie, w każdym moim grzechu, który odbiera mi Boga, umiera w każdym miejscu mojego życia, w którym nie potrafię umierać dla siebie: umiera w moim egoizmie, w zarozumiałym przekonaniu, że bez Niego mogę żyć. Umiera w moim obrażaniu się na Niego. Umiera w mojej zmysłowości, w mojej złości, w braku przebaczenia. Tak długo będzie dla mnie umierał, do końca moich dni, aż nauczy mnie umierać razem z Nim. Jego przebite serce przypomina mi o Ojcu, któremu serce pęka, gdy odchodzę, i który wzrusza się głęboko, gdy wracam, który mówi do mnie przez otwarte serce Jezusa: „Moje dziecko, ty zawsze jesteś ze mną i wszystko, co moje, do ciebie należy". Umieranie Jezusa przypomina mi, że Ojciec na mnie czeka.

*Chwila ciszy...*

Jezu umierający na krzyżu mojego życia, uzdrów mnie z grzechów, które zadają Tobie i mnie śmiertelne rany!

*Któryś za nas cierpiał rany...*

Stacja XIII

**Rana zniechęcenia:**
***Martwy Jezus na kolanach Matki***

*Kłaniamy Ci się, Panie Jezu Chryste...*

Maryja z martwym, bezwładnym ciałem Jezusa na swoich kolanach. Maryja obejmująca z żywą wiarą i czułością martwe Dziecko. Maryja – „ikona wiary", która się nie załamuje, „ikona miłości", która nie rezygnuje nawet wtedy, gdy widzi śmierć Dziecka. Na jej kolanach, przy jej łonie jest jeszcze dużo miejsca, jest miejsce także dla mnie. Chce mnie utulić i objąć, jak obejmuje Jezusa, razem z Jezusem. Maryja chce wziąć w ramiona całe moje życie, to, co umiera w nim przez moje zniechęcenie i rezygnację. Chce „przyłożyć" moje rany zniechęcenia i rezygnacji do ran Jezusa, aby zmartwychwstał we mnie syn, aby zmartwychwstała we mnie pasja i radość życia, aby uzdrowić mój bezwład życia, abym mógł się bawić i cieszyć z Ojcem i Jego Synem odnalezionym życiem, abym martwy ożył, zagubiony odnalazł się.

*Chwila ciszy...*

Ojcze o sercu matki, poślij mi Jezusa, aby uzdrowił we mnie ranę zniechęcenia i rezygnacji! Poślij mi Maryję, aby „na swoich kolanach" uczyła mnie wiary silniejszej od śmierci!

*Któryś za nas cierpiał rany...*

Stacja XIV

## Rana śmiertelnego grzechu: *Jezus złożony do grobu*

*Kłaniamy Ci się, Panie Jezu Chryste...*

Jezus złożony w grobie schodzi do najgłębszych ciemności mojego życia, do najgłębszej rany mego serca. Schodzi w otchłań mojego grzechu, do miejsc, które są we mnie grobem. Chce w nich czekać na moje nawrócenie i zmartwychwstanie. Chce, abym pozwolił Mu zejść do otchłani mojego życia, gdzie nie ma życia, chce mnie z niej wyprowadzić. Chce, abym oddał Mu mój grzech i wtulony w Jego ramiona powiedział: „Zgrzeszyłem wobec Ojca i względem Ciebie". Jezus szuka mnie w grobie moich grzechów, w ciemnościach moich lęków, w moim poczuciu „niegodnego dziecka", szuka mnie tam, gdzie już nikt inny nie zagląda. Chce mnie wrócić Ojcu, chce, abym uwierzył, że w domu Ojca jest mieszkań wiele. Jest także miejsce przygotowane dla mnie i wszystko jest już przygotowane do uczty.

*Chwila ciszy...*

Jezu schodzący do otchłani moich śmiertelnych grzechów, uzdrów mnie z ran grobowych ciemności i lęku!

*Któryś za na cierpiał rany...* (3 razy)

W milczeniu: *Krzyż zostaje położony pomiędzy czternastoma świecami symbolizującymi oddane Jezusowi rany. Następnie adoracja krzyża w ciszy.*

## Spis treści